五線とドレミでわかりやすい！

やさしい大正琴講座

An easy Taishogoto lecture

自由現代社

五線とドレミでわかりやすい！

やさしい大正琴講座

準備編　大正琴を用意しましょう。

基本編　弾いてみましょう。

もくじ

本書を手にとってくださり、ありがとうございます。

あなたは大正琴を弾いた経験がありますか？それともこれから始められる方でしょうか？本書はどちらの方にも最適な大正琴の入門書です。

はじめて大正琴に触れる方は、ぜひ最初から読み進めてください。本書では、大正琴の楽器購入からピックの持ち方・音階キーの押さえ方・楽器のお手入れなどまで、やさしく見やすく解説していますので、きっとすぐに大正琴を楽しめるようになるでしょう。

少しでも弾ける方は、ご自分の知っているページはとばして読み進めても良いでしょう。後半の実践編・応用編はテクニックの解説も含んでいますので、ご自分のウデの向上につながることと思います。

大正琴はたくさんの「流派」が存在し、各流派によって、大正琴の楽器本体を独自で開発したり、数字譜(楽譜)に使われる記号なども少々異なります。

しかし筆者は、**幅広い人口・世代**に大正琴を楽しんで頂きたいと思い、数字譜に使われる記号や奏法は、ごく**一般的な記号に統一**しました。このあたりをご考慮頂きながら、ぜひ哀愁ある大正琴の音色を楽しんで頂ければ幸いです。

準備編

大正琴を用意しましょう。

大正琴ってどんな楽器？

準備編

魅力！

大正琴は、ボディーが小型なので、どこへでも持ち運びがしやすい**コンパクトな楽器**です。他の楽器に比べて、初心者でも練習次第で、**比較的早い段階から音が出せる**ので、手軽に始められる楽器として親しまれています。そして哀愁をおびた深い音色を楽しめます。

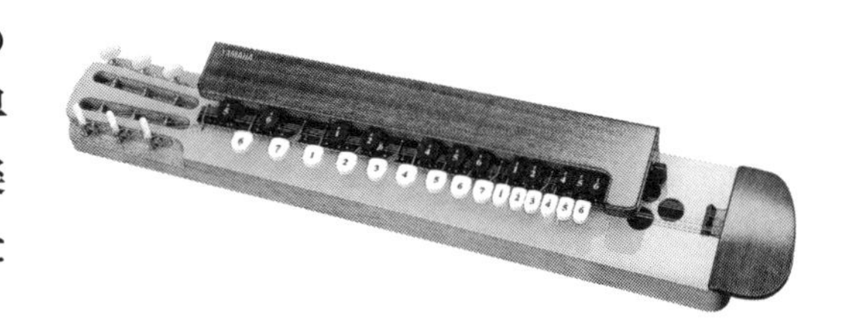

（ヤマハ TH-15E）

楽譜が読めなくても弾ける！

大正琴の楽譜は、**音の高さ・長さ**を数字で表す「**数字譜**」を使うので、**楽譜が苦手な人**でも安心して弾くことができます。

数字譜をに記された数字と、大正琴に付いている**数字の音階キー**を照らし合わせると、楽曲を弾くことができるので、楽譜を読む苦労は要りません。

また、大正琴は「**ドレミファソラシド**」の西洋音階を使用している楽器なので、**童謡・演歌・ポップス・クラシック**などの広い分野の楽曲を弾くことができ、子どもから大人まで楽しめる楽器です。

（かえるの合唱／岡本敏明：訳詞　ドイツ民謡）

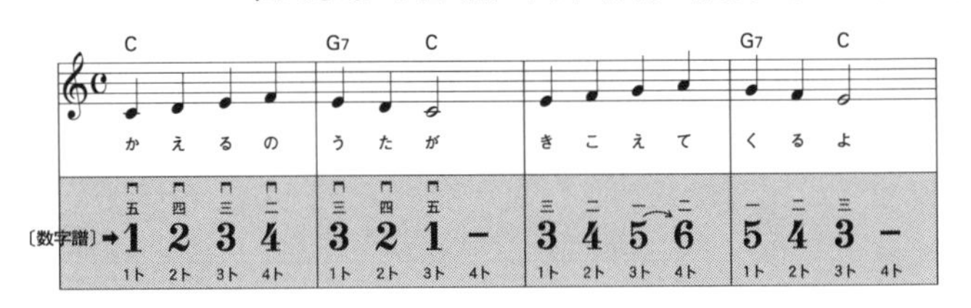

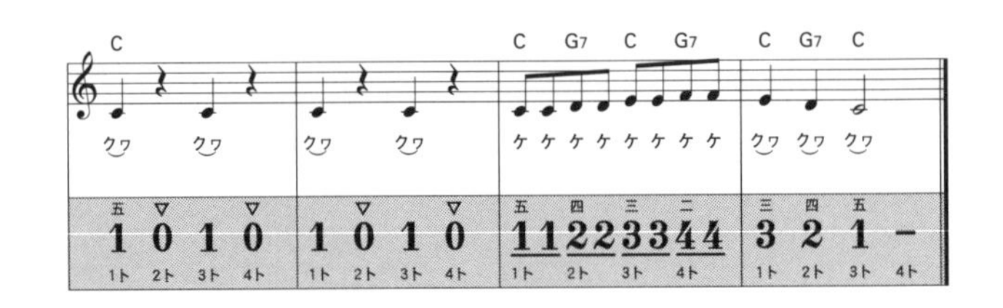

ソロ弾きから合奏まで

大正琴は１人で弾く**ソロ弾き**または、大正琴同士や他楽器との**合奏**も楽しめます。合奏することによって、多くの**人々との出会い**が生まれ、楽器を弾く楽しみが増えます。

しかし忙しくてなかなか時間がとれない方でも、最近では楽曲のテンポ・高さの調節が自由に出来る**伴奏用の音源機器**も完備していますので、１人でもお手本の演奏や伴奏を聴きながら、手軽にソロ弾き・合奏を楽しむことができます。

音色

大正琴は、**繊細かつ流麗な音色**が特徴です。日本人の心の奥底に優しく語りかけてくれるような、ロマン溢れる不思議な魅力を持っている音です。よく、音色・演奏法はマンドリンに似ているとも言われています。

また大正琴は、弦を弾いて音を出すと、ピアノ音と同じように音は減衰していきます。しかし、サイレント（弱音）機能付きの大正琴で弓を使って演奏すると、ヴァイオリンやチェロのように綺麗な持続音も出せます。

発祥

大正琴は、その名の通り「大正」時代に日本で考案された**弦楽器**です。中には、"日本人が生み出した唯一の楽器"と言う専門家もいます。

大正元年（1912年）、名古屋市出身の森田吾郎（もりたごろう）氏によって考案されました。彼は、大正琴の楽器改良に取り組みながら、各地で演奏するうちに、やがてその魅力は次第に広まり、大正〜昭和の初期から大流行しました。

また、その当時海外から入ってきた憧れの「西洋音楽」を演奏することも可能で、そのうえピアノやバイオリンより安価で購入することができることから、女性を中心に愛好家が増えました。

演奏の場

大正琴は、持ち運びが便利な楽器なので、何処へでも持って出かけられます。そして、大正琴の楽器改良や出版楽譜の普及などにより、個人／グループでのレッスン受講が出来る機会も増えました。この特徴を活かし、最近では以下のようにさまざまな場所で親しまれています。

- 個人レッスン／大手楽器店でのグループレッスン
- 自治体で開催されている子供・大人のための大正琴講座
- 地域でグループを作り、合奏演奏
- 各流派の定期演奏会／新聞社主催の主要流派全国大会での演奏

など、**生涯学習**や**地域活動**の一つとしても幅広く親しまれています。また最近では、小・中学校での和楽器体験授業などの影響により、子供たちの大正琴への関心も多くなってきています。

「人前では‥」と敬遠している方も、この機会にぜひ思いきって出かけてみましょう！　音楽や楽器に対する楽しみを共有できる**すてきな仲間**に、きっと出会えるはずです。

これが大正琴だ！

準備編

大正琴にはいくつかの機種があります。近年は各メーカーの改良により、音階キー（ボタン）が等間隔に配置され弾きやすくなり、益々**演奏のテクニックに変化**を付けられるようになりました。各社、**本体ボディーの形・機能・材質・デザイン**などが少々異なっていますが、基本的に**奏法は同じ**です。価格もまちまちですが、平均￥60,000-前後です。

いくつかご紹介しますので、これから楽器を購入される方は参考にしてみてください。

アコースティック式大正琴

生の音を楽しむアコースティック式のソプラノ大正琴。**初心者に最適**。

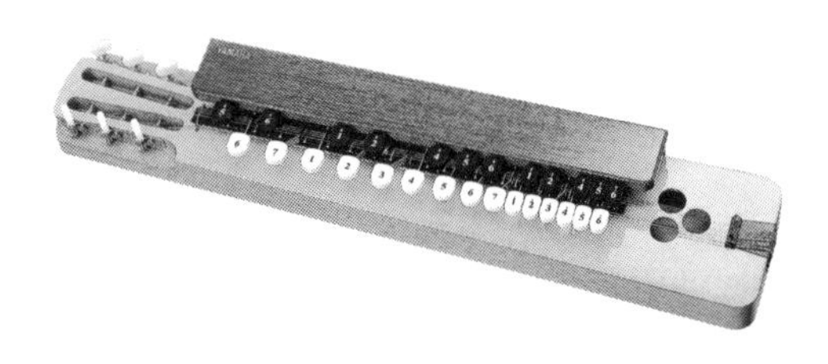

（ヤマハ TH-15）

電気大正琴

もっとも**主流**の大正琴。生の音で弾ける他に、付属の電気コードでアンプにつなぎ、音を増幅することもできる。メーカーによっては「**エレキ大正琴**」とも呼び、**合奏**や**広い会場**での演奏に最適。

響き穴の裏にマイクが内蔵されていて、音量を調節するつまみがある。機種によっては、本来の音以外の合成音が出るものやアンプ内蔵型の大正琴もある。

こちらも**初心者に最適**。

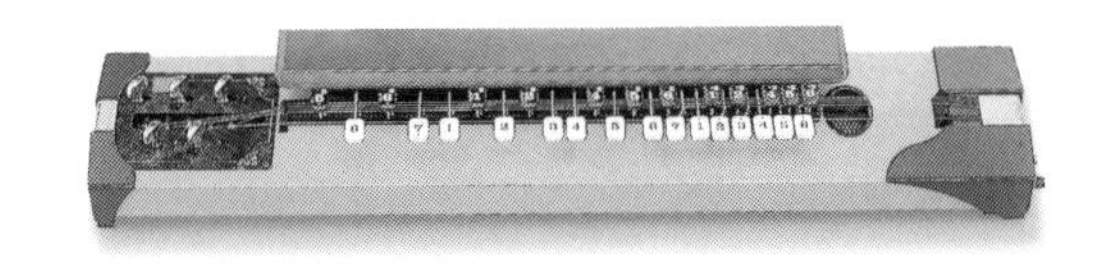

（SUZUKI 紅葉）

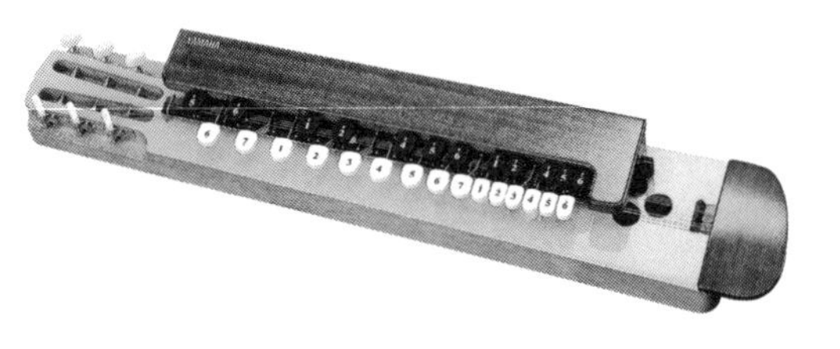

（ヤマハ TH-15E）

音域別大正琴

音域別に作られた大正琴。ソプラノ大正琴の他に、**アルト・テナー・バス**（ベース）があり、音域が低くなるほど**ボディーも長め**になる。

大正琴同士の**合奏**や**アンサンブル**に使われる。通常は、アンプにつなげて演奏することが多い。

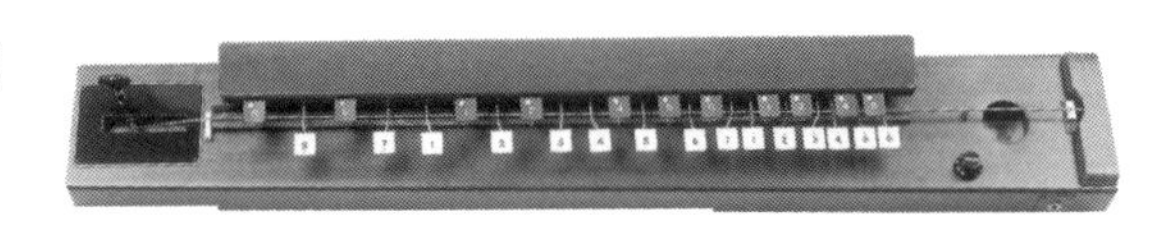

（ZEN-ON 牡丹・バス）

この他、ヘッドフォンを使用しながらの練習もできる「**サイレント大正琴**」や、材質や音色に更にこだわった「**高級大正琴**」などもあります。練習していくうちに、一台目・二台目…と用途によって使い分けができるようになりますが、最終的には**音色やデザインの好み**で選ぶと良いでしょう。

大正琴を購入しよう！

準備編

どこで購入できる？

多くの大正琴は、街の**楽器店**で購入可能です。店頭に飾られていない場合は、**カタログ**を見せてもらいましょう。メーカーによっては電話にて無料のカタログ請求もできます。

また最近ではパソコンの**インター・ネット上**で、各楽器店や大正琴の製作会社やメーカーが、**写真付きで価格・本体の形**などの詳細を丁寧に掲載していますので、大変参考になります。

そこで、これから大正琴を購入される方に、間違った購入を避けて頂くため、いくつか購入のポイントをご紹介します。

購入のポイント！

1 上等の楽器、それも**最新の大正琴を！**

予算の許す限り、**上等で最新の楽器の購入**をお薦めします。最新の大正琴は**機能・材質**ともに改良され、とても**弾きやすく**なっています。練習するうちにテクニックや耳が肥えてくると、「もっと上等の楽器を購入しておけば良かった」と言う方々が多いです。

2 メーカー名が**無明記**の楽器や、**通信販売品**は避けよう！

多くの大正琴は、楽器本体に○○株式会社／□□有限会社、などとメーカー名が記載されています。しかし中には、注文により１台のみ製作する会社や、通販品などに見るような製作会社のはっきりしないものなどもあります。

あくまで**弾くことを目的**とした購入の場合は、これらメーカー名が無明記で比較的安価の大正琴はできるだけ避けましょう。

3 **楽器店**、または**大正琴の先生**などを通じて購入しよう！

一番良いのは、大正琴を弾いている友人・先生が近くにいる場合は、いろいろと相談にのってもらうことです。そうで無い場合は、楽器店へ行ってみましょう。店員さんが、楽器本体のみでなく、**修理時**や、弦などの**付属品の購入**についても丁寧に説明してくれるでしょう。

初心者だからといって、“とりあえず”の購入は避けましょう！　きちんとした楽器選びをすることで、その後の楽器の**扱い方**や**上達度**も違ってくるでしょう。

付属品

準備編

大正琴を弾く際に使う小物です。全て揃える必要はありませんが、**弦**と**ピック**は無いと弾けませんので用意しましょう。楽器店で購入できますが、置いていない場合は店員さんに、各社メーカーより取り寄せしてもらいましょう。

練習に使うもの

【弦】

大正琴に張る弦。**細線・細巻線・太巻線**の３種類を張る。ピアノ線で作られている。

上記の弦はヴィオリラ（P.89）にも使用可。

【ピック】

（YAMAHA TH-PICK）

右手で持ち、弦を弾く。プラスティックやナイロン製が多く、形や厚さもさまざま。楽曲の雰囲気や奏法によって使い分ける。

別売のピックケースもあり。

【譜面台（座奏用）】

（ZEN-ON ZP）

座って弾く座奏(ざそう)の際に、大正琴の前に置き、楽譜を乗せる台。

【プロテクター】

（ZEN-ON WP-10）

右ひじを乗せる台。高さの調節ができる。

【譜面台】

（YAMAHA MS-500ALS）

立奏(りっそう)の際にスタンドの前に置き、楽譜を乗せる台。３段階に調節が利き、座奏用にすることも可能。

【スタンド】

（YAMAHA SHS-1）

立って弾く立奏の際に、大正琴を乗せる台。高さを調節できる。譜面台付きもあり。

調弦に使うもの

【調子笛】

（自社撮影）

口にくわえて吹くと「ソ」の音が出る。弦をこの音に合わせる際に使用。大正琴を購入すると、ほぼ付属されている。

【チューナー】

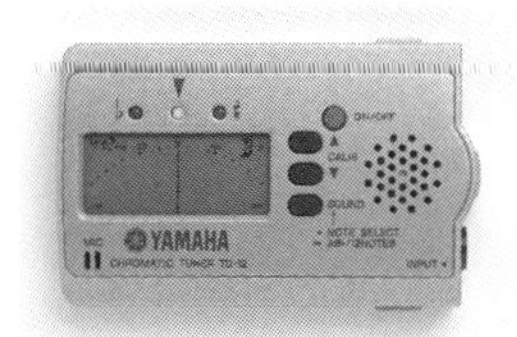

（YAMAHA TD-12）

大正琴専用のチューナーがあるが、必ずしも専用のもので無くても良い。各社、デザインや価格は異なるが使い方は皆ほぼ同じ。

その他

【弦巻器】

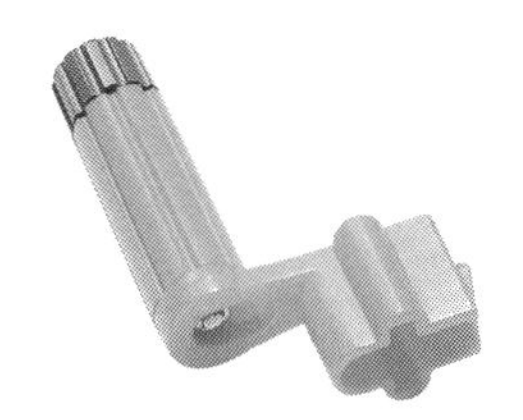

（YAMAHA SW-50R）

弦を張るまたは、張り替える際に、糸巻きに被せて回し、弦を弛めたり絞めたりする。

【ケース】

（YAMAHA THC-100H）

大正琴を保管する別売のハードケース。大正琴に付属されているソフトカバーもあり。

【アンプ】

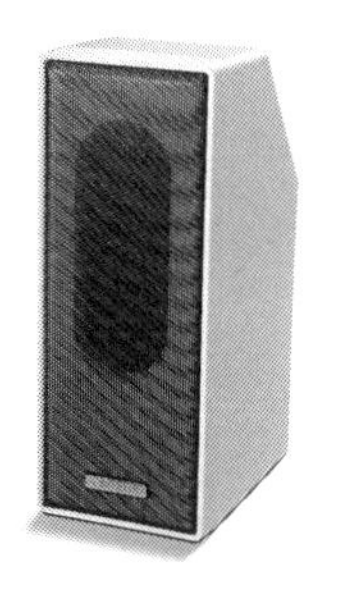

（SUZUKI SA-35）

音を増幅させるスピーカー。電気コードにつなげて使用。大正琴の機種によって、対応/非対応のアンプがある。詳しくは各メーカーまで。

その他、電気大正琴を購入すると、アンプにつなげるための電気コードと電源アダプターが付属されています。

こらむ

大正琴のメーカー／中古楽器を買う時の注意点

▶大正琴のメーカー

大正琴を製作している代表的な楽器メーカーです。初心者からプロ指導用まで、幅広く対応しています。購入や修理などの際、参考にしてみてください。

メーカー名
株式会社 全音楽譜出版社
株式会社 鈴木楽器製作所
株式会社 ナルダン楽器
ヤマハ株式会社
株式会社 ライリスト社

▶中古楽器を買う時の注意点

初心者の方が中古の大正琴を購入する場合､「調整済み」「リペア済み」の楽器を選びましょう。調整済の楽器は、下記の内容が守られているはずです。

1 弾いてみて綺麗な音が出るか？　弦巻器はキチンと巻き上げられるか？

・新しい弦が張ってあるか？　古い弦は音程が悪く、澄んだ音も出ません。

・弦巻器の調子が悪いと、演奏中にすぐに音程が下がってしまいます。

2 ボリューム調整音のスイッチが動くか？

・広い会場でも演奏できる、ボリューム調整の付いているものを購入しましょう。

3 フレットがすり減っていないか？

・弦を乗せるフレットが減ると、弦がビビったり、しっかり押さえても音が出なくなったりします。また､均一な音が出にくくなり､音色も悪いです。修理には高額な料金が掛かります。

4 保証期間が明記してあるか？　リペアサービスができる楽器店か？

・値段や型版だけで購入するとリペア（消耗品の交換や調整）が必要な場合があります。リペアをすると高額な料金が発生する可能性がありますので、店員さんの楽器知識もあり、対応のよい楽器店で購入しましょう。

5 販売時の価格が表示してあるか？　消耗品（弦・ピック等）がお店に置いてあるか？

・楽器店・リサイクルショップでは、弦を緩めてフレット等の状態を見ることができますが、インターネットで購入の場合には、実際に手に取って見ることができないので、前記の内容を確かめて慎重に購入しましょう。特に「現状渡し」となっているものは、注意が必要です。

・初心者は、楽器の経験者、指導者、楽器店員に相談してから購入しましょう。新品と中古楽器の一番の違いは、価格です。状態の良い中古楽器が見つかれば、中身は新品と余り変わらないので、こだわりの少ない人は中古楽器で練習を始めてみましょう。

各部の名称

準備編

大正琴は、従来使われていた二弦琴やタイプライターからヒントを得て改良された楽器です。二弦琴に張られた絹糸を**金属弦**に替え、弦を押さえる代わりに**数字付きのキー**を配置、そこへ**音階**を表す**キー**をミックスし、改良して出来あがったのが今日の大正琴です。

メーカーにより名称は少々異なりますが、本書では一般的な名称をご紹介します。

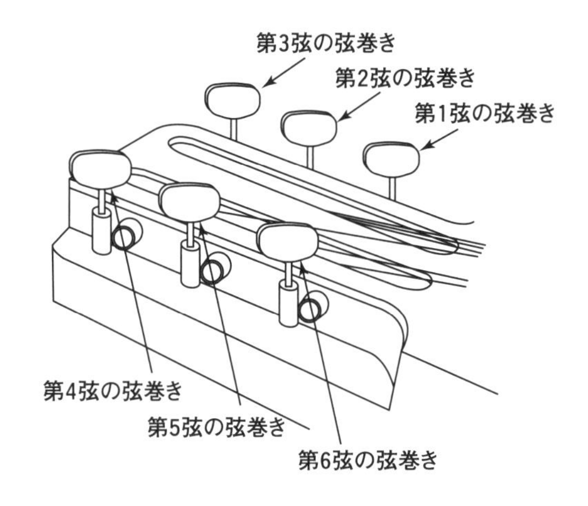

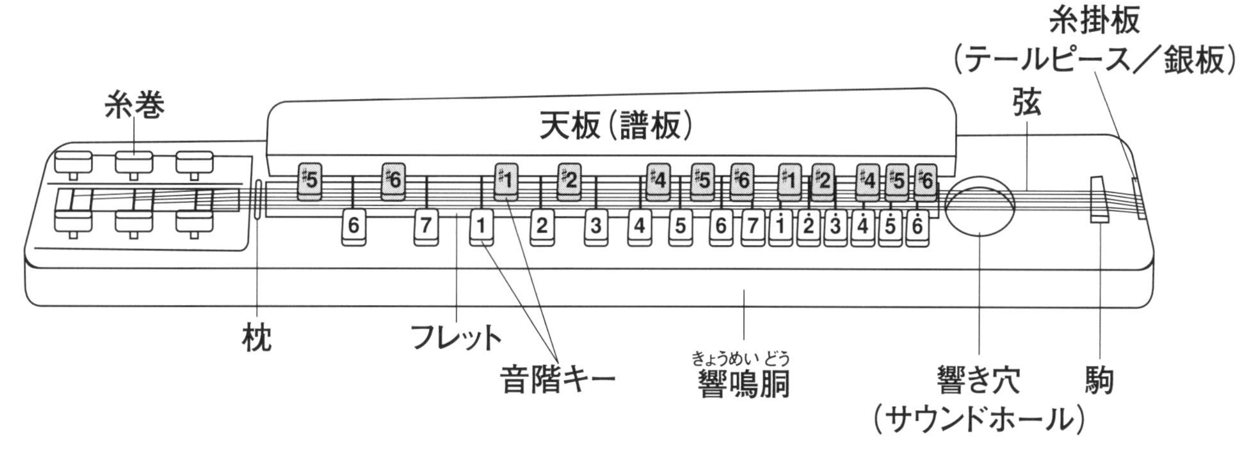

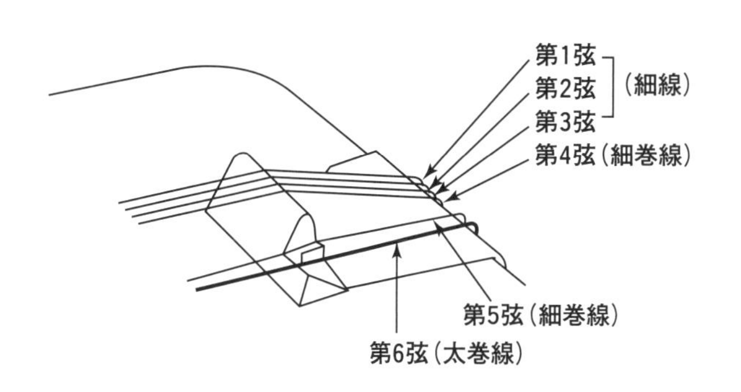

響鳴胴の中は完全に空洞になっていて、ピックで弾（はじ）く弦の振動から生まれた音を、響き穴で共鳴させる構造になっています。弦巻きやフレットがあり、ギターの構造と少し似ています。

大正琴の弦

準備編

弦の名称

大正琴には特殊な機種を除き、**5本**または**6本**の弦を張る大正琴の2種類があります。前のページを参照しながら見てみましょう。

5弦琴

上から**第1～3弦** … **細線**（細い弦）／別名；ソプラノ弦
第4弦 ……… **細巻線**（少し太い弦）／別名；アルト弦
第5弦 ……… **太巻線**（太い弦）／別名；テナー弦（ベース弦）

6弦琴

上から**第1～3弦** … **細線**／別名；ソプラノ弦
第4・5弦 … **細巻線**／別名；アルト弦
第6弦 ……… **太巻線**／別名；テナー弦（ベース弦）

奏法は、**第1弦～4弦**までの4本の弦を**同時に弾く**ことが原則です。つまりピックで弾いた時に、一つの音となるように弾きます。

第5・6弦は、第1～4弦を弾いた時に、その**音響を手助けするための共鳴弦**で、演奏時は弾かずに共鳴させます。
または、楽曲によって、第5・6弦を指定された音に調弦して弾く場合もあります。

調　弦

弦は張っただけでは弾けません。必ず、各弦の音の高さ（音程）を合わせてから弾きます。この**音程を合わせる**作業を**調弦**（ちょうげん）といいます。
大正琴の弦は、全て音階の「**ソ**（G）」の音に合わせます。そして調弦は、P.12にあるような**調子笛・チューナー**、または**ピアノなどの鍵盤楽器**を使いながら、以下の手順で調弦します。
購入時に**既に弦が張ってある**場合も、必ず第1弦～4弦を**1弦ずつソの音に調弦**してから弾きましょう。

第1～3弦

1. チューナーの電源を入れ、大正琴の天板の右側に置きます。
2. **右手**でピックを持ち、弦を1本ずつ弾きます。この時、**他の弦に触れない**ように注意しましょう。
3. 糸巻きを**左手で**ゆっくり左右に回しながら、チューナーの「**ソ**（G）音」を示す**ランプが点滅**するまで各弦を弾きます。
4. 「**ソ**（G）音」を示すランプが点灯したら、チューナーの**針が中央の0**（ゼロ）に来るように更に微調整をします。ランプ点灯に合わせて、針が中央に一致したら正しく調弦されています。
5. これを第1～3弦まで1本ずつ行います。

第4～5弦

第１～３弦と同じ手順で、**１オクターブ低いソ（G）音**に合わせます。（下図参照）

ここまで出来たら一度、**第１～４弦**を同時に弾き、音は合っているか･澄んだ音になっているかを確かめてみましょう。

第6弦

これまでと同じ手順で、第４～５弦より**更に１オクターブ低いソ（G）音**に合わせます。
または楽曲に応じて**レ（D）音、ド（C）音**などに合わせることもあります。（下図参照）

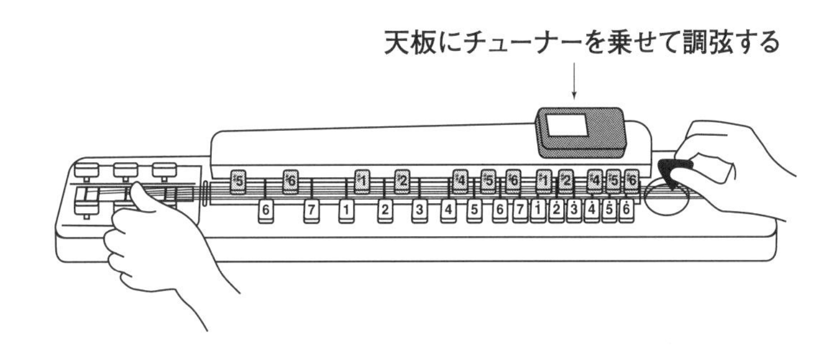

第1～6弦に合わせる「ソ(G)」の実音の高さ

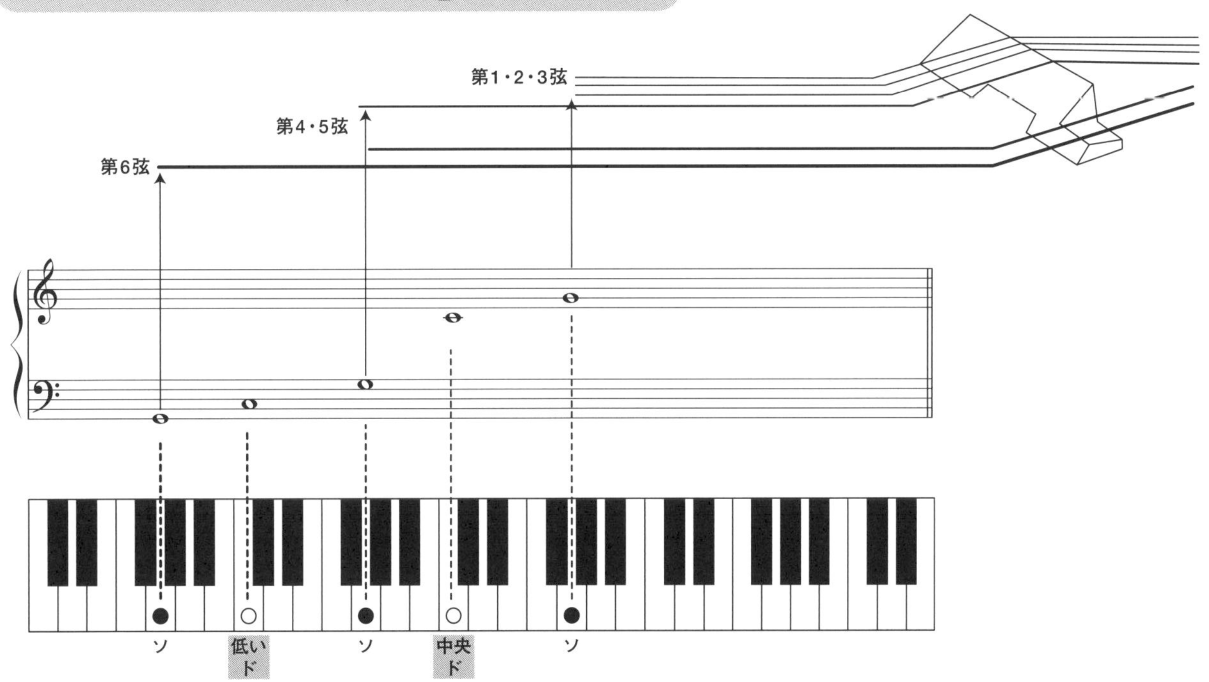

ポイント　調弦

長時間の演奏や練習が続くと、弦は**ゆるんで次第に音程が合わなく**なってきます。この場合は途中で休憩を入れて**再調弦**してください。
また、長い間弾かずにケースに閉まっておき、改めて**練習を再会**する時も**必ず調弦**を行ってから弾きましょう。

弦の張り替え方

弦はピックで弾くため、練習していくうちに弦に傷が付き、音色が低下したり調弦が合いにくくなります。特に**第1弦と第4弦**は痛みやすいです。しかし、張り替えの際は1弦ずつでは無く、思いきって**一度に4弦分**張り替えましょう。

まずは、1本ずつ張り替えてみましょう。

1 糸巻きを緩め、弦を外します。反対側の糸掛板のピンからも外します。

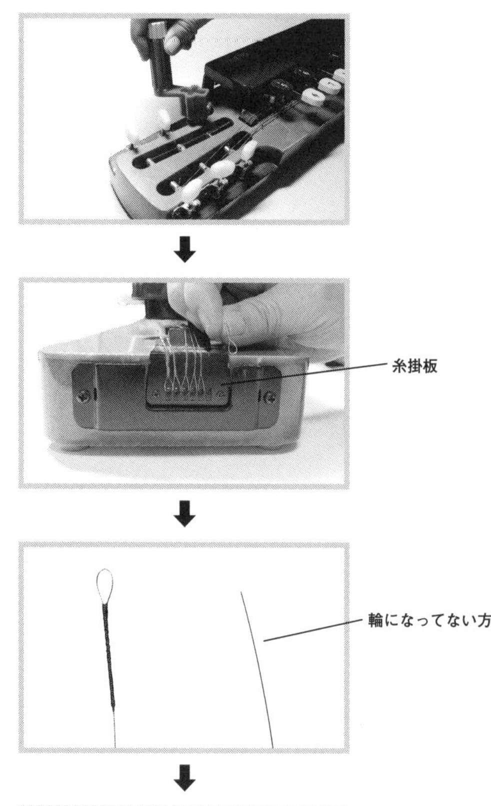

2 糸巻きの穴に通しやすくするため、新しい弦の**輪になっていない方**の先端を、2cmくらい軽く曲げます。

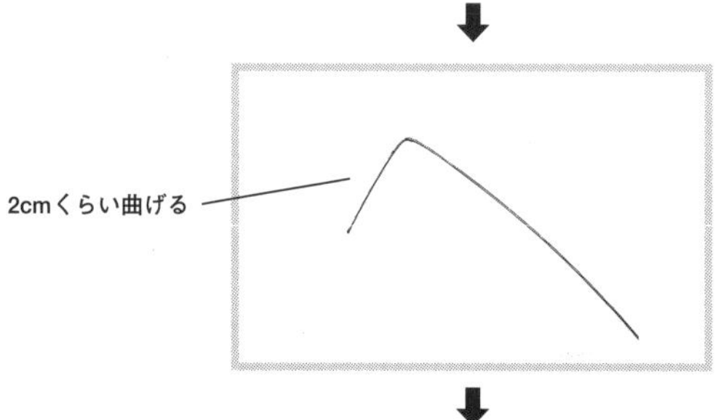

3 弦を糸巻きの穴に通し、糸巻きを右へ回し（時計回り）、均等に巻きます。

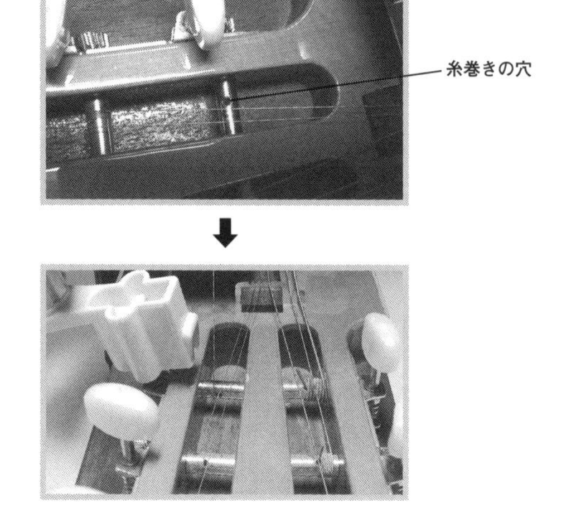

糸巻きは**右**へ回すと締まり**高音**になり、**左**へ回すと緩み**低音**になります。

4 反対側の弦先が**輪になっている方**を、右横の**糸掛板**のピンに引っ掛けます。

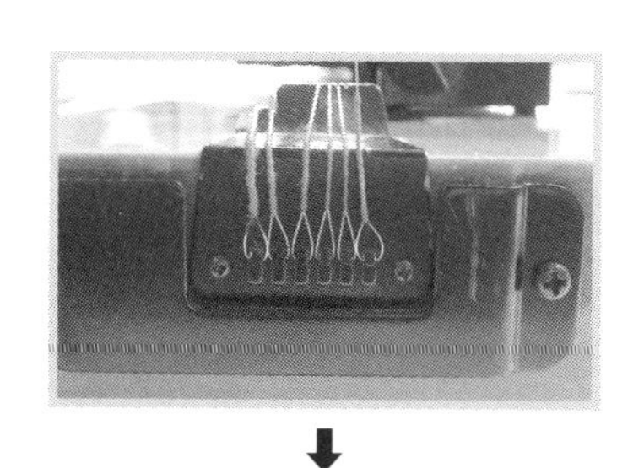

⬇

5 糸巻き側に通した弦を調節しながら、徐々に絞めていきます。この時、途中までは天板の上にスポンジなどを置き、両サイドの弦が外れないようにしましょう。

⬇

6 **1**〜**4**の手順で、弦が**駒のくぼみ上**にきちんと乗るように残りの弦も張り、４本を調弦します。

7 弦を馴染ませるために４弦とも上から２〜３回押さえ、その後再度**調弦**します。この微調整をくり返すことで、音程が除々に安定します。

第５〜６弦はあまり使用しないので様子をみながら張り替えましょう。

ポイント　糸掛板

糸掛板は、５弦用や６弦用など機種によっていろいろな配置があります。

また、演奏会などに出演する場合は、その３日前くらいに、新しい弦に張り替えましょう。演奏会当日に張り替えると、弦の音が下がりやすくなるので、注意しましょう。

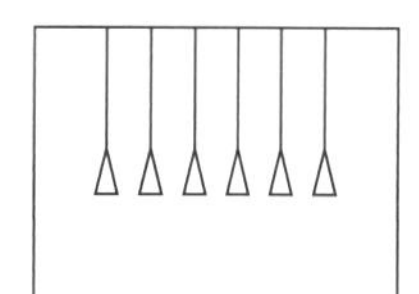

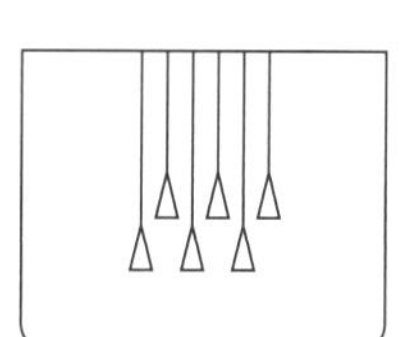

こらむ

大正琴の手入れ

良い演奏、綺麗な音を出すには、普段から下記のことに気をつけましょう。

1 夏期・冬期

日本の季節では、梅雨期から真夏にかけて猛烈な湿度と高温が続くので、直射日光を避け、涼しい場所に保管しましょう。また、冬の極端な乾燥は弦楽器にとっては過酷な時期なので、暖房機等の近くには楽器を置かないようにしましょう。

長期間弾かない時や梅雨時には、ときどき大正琴のケースを開けて楽器に風を通しましょう。ステージ上でライトが楽器に当たり高温になる場合や野外演奏などでは、僅かの空き時間を利用して小まめに調弦しましょう。

2 楽器を弾く時・弾き終わった時

演奏始めと終わりに、柔らかい布、または専用の弦楽器用クロスで、本体と弦、細かい溝などを拭きましょう。指の汗、脂、ほこりが付いているままケースに入れてしまうと、後で弦が錆びたり本体に汚れが染み込むこともあります。クリーナーを使う場合、研磨剤の入ってないものでも十分に落ちます。

「ヴィオリラ大正琴」を使っている方は、弓用の松脂（まつやに）が本体の弦と弓の弦に付き、白っぽい粉が落ちます。これを放って置くと弦に脂が付いて固まってしまい、綺麗な音が出ません。弓の裏側にも余分な脂が付くので常にふき取り、最良の状態で管理しましょう。

弓は使わない時は、必ず緩めて置きましょう。電池は弾かない時には取り出してください。

3 湿度調整器・弦楽器用除湿剤

ケース内の湿度を調整し、あらゆる楽器への負荷を軽減させる「**湿度調整器**」が市販されています。調整剤が乾いたときはスポンジを湿らせるのみで、簡単・安全に使えます。小さいのでどんなケースにも入れておくことができます。

「**弦楽器用除湿剤**」は、消臭、調湿、防カビ、防錆（ぼうせい）ができるように調合された薬剤が小袋に入っています。ケースに入れて置くだけで、数ヶ月はもちます。

4 弦を取り換える場合

必ず、１本外した後に新しい弦１本を取り換えるようにしましょう。**一度に全ての弦を外して取り換えないように。**

又、古い弦をいつまでも使っていると、綺麗な音が出ません。弦の状態を良く観察して適宜に交換しましょう。演奏会用に新しい弦に取り換える場合は、前日までに張り替えますが、新しい弦は音程が下がりやすく不安定なので、充分弾きこんで本番に備えましょう。

5 チューニング（調弦）

基本音はG=ソ(440)音です。開放弦をGに正確に合わせます。

他の音が混じらないように１本の音だけ鳴らし、弦巻きで音を上げながら調弦器で合わせましょう。

基本編

弾いてみましょう。

構え方

基本編

大正琴は、基本的には**左手で音階キー**を押さえながら、**右手にピックを持ち、弦**を弾きます。

練習の時に余分な力が入ったり無理な姿勢で弾き続けると、腕や指がすぐに疲れて、良い音は鳴ってくれません。それぞれ基本的な構え方がありますので、参考にしてみましょう。イスに**座って**弾くスタイルを座奏（ざそう）、**立って**弾くスタイルを立奏（りっそう）といいます。

座 奏

1 テーブルに**大正琴を斜めに置きます**。この時、音階キーの「7」(白いキー)の位置を、テーブルの端から10〜15cm空けて配置します。**握りこぶし1つ分**くらいが目安です。

2 テーブルに対し、**イスを約45度傾けた**状態に置き、浅く腰掛け、右の腹部が軽くテーブルに触れるくらいの位置で座ります。足は少し開き、右足に体重をかけます。

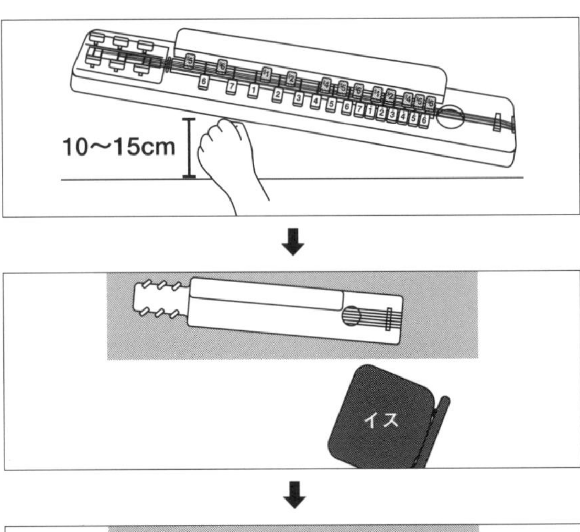

3 この時大正琴が、自分の体の右端より出ないように再度楽器の配置を調節しましょう。ちょうど、**「響き穴」が体の中心**に来るように置きます。

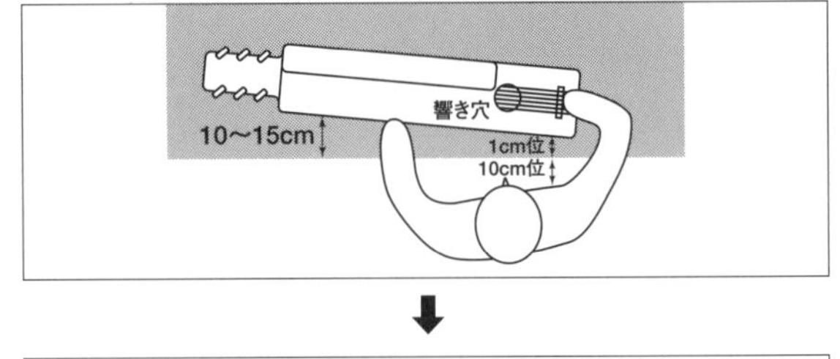

4 右手首を糸掛板の上に置きます。

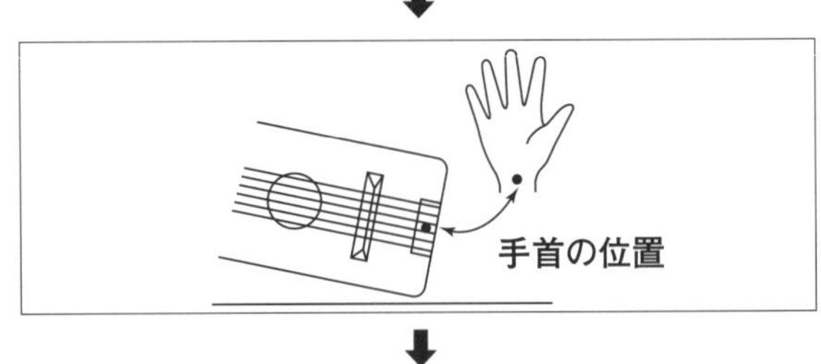

5 **右腕と琴が一直線**になるように、右ヒジを張ります。

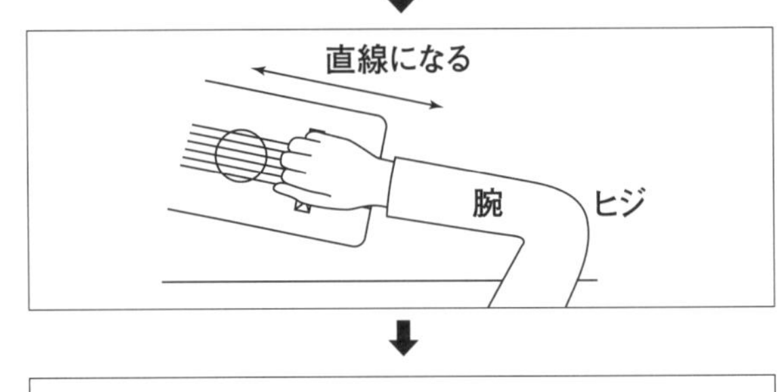

6 **演奏中は楽譜と左手を見ながら**演奏しますので、楽譜は左前方に置きます。この時、顔は楽譜と音階キー側に向け、やや下方に目線をもっていきます。

立　奏

1 基本は座奏の構え方と同じです。座奏でイスを傾けて置いたように、立奏の時も楽器に対して**斜めに立ちます**。

2 この時、身体ごと右に傾かないよう、**背筋を伸ばして**立ちましょう。高さが合わない時は、スタンドの**高さを調節**します。

それでは、立奏と座奏の構え方を写真で確認してみましょう。

立奏

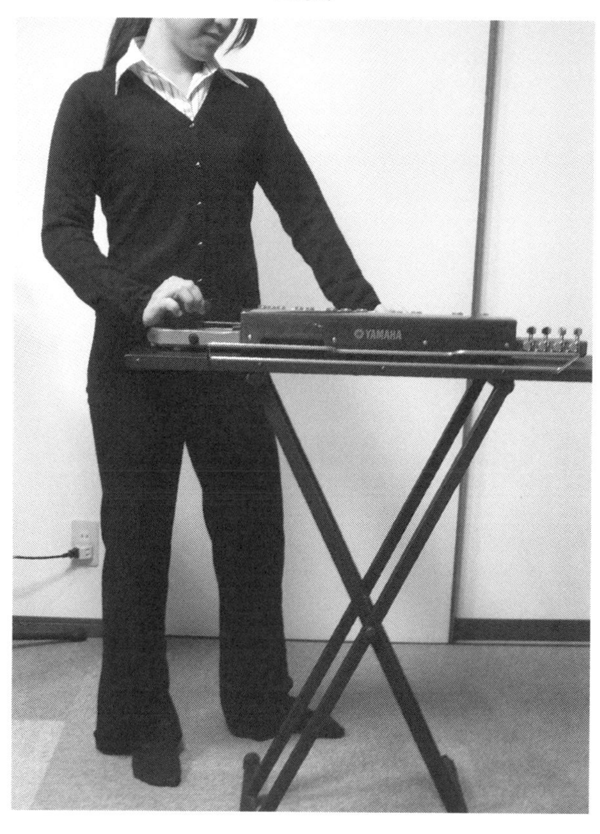

座奏

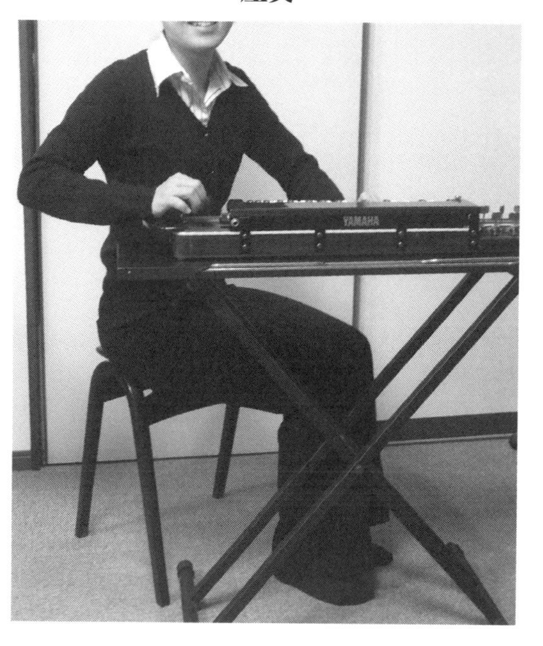

ポイント **立奏**

右ヒジは**大正琴の位置より下がらない**ように注意しましょう。両肩は力を抜いて背筋を伸ばし、両手が自然に楽器に触れるように構えましょう。

ピックの使い方

基本編

持ち方

右手でピックを持ってみましょう。

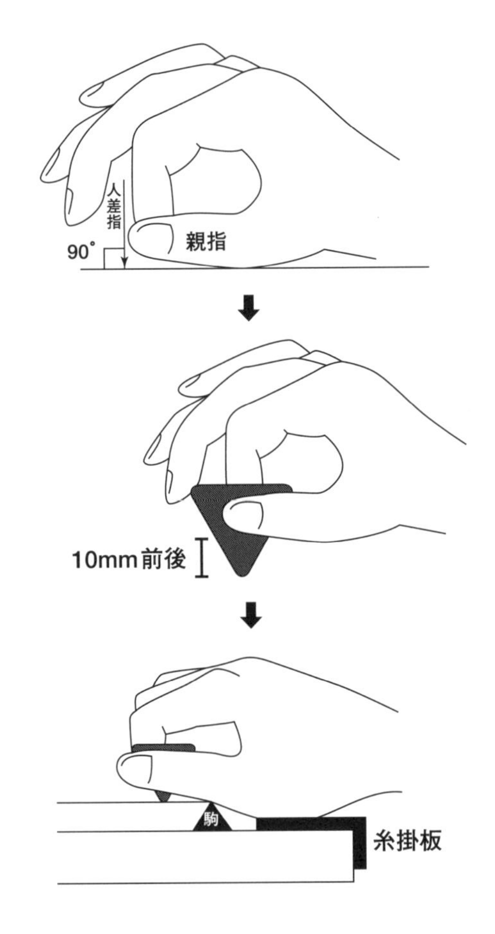

1 右手の**人差指を垂直**に立て親指の腹に当てます。2本の指で輪を作るように丸めます。つまり、人差指の爪の横に、親指の腹を当てます。

2 ここへピックを軽く挟み、ピックの先を**10mm前後**出します。

3 人差指に中指を添え、右手全体が**お椀を伏せた形**のようにふんわりと弦の上に置きます。

4 弦に対して**ピックを垂直**に当てます。上から見た時は、弦に対して平行にピックを置きます。

〈正面から〉　〈上から〉

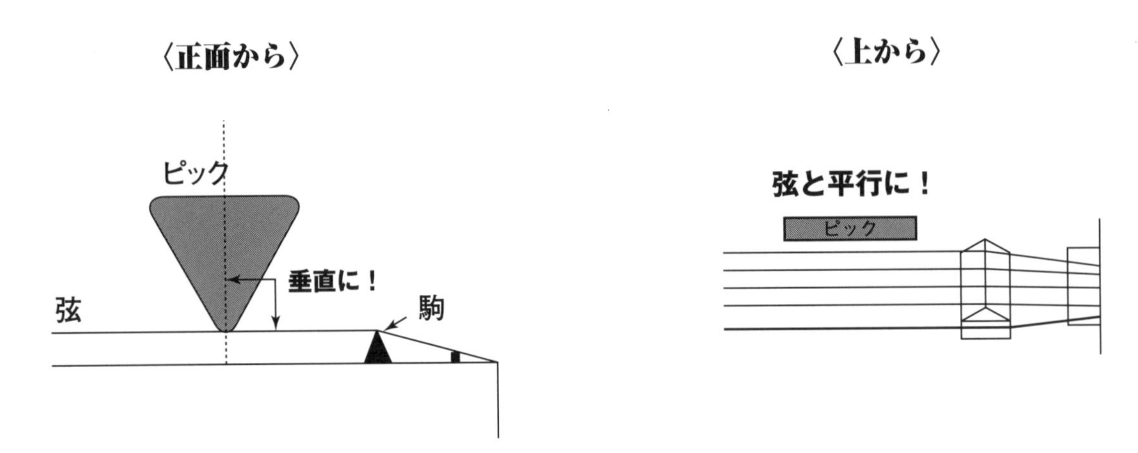

5 演奏は、ピックのみを動かして弾くのではなく、**ピックと手首全体を動かして**弾きます。

撥弦（はつげん）

ではピックを使いながら、実際に音を出してみましょう。

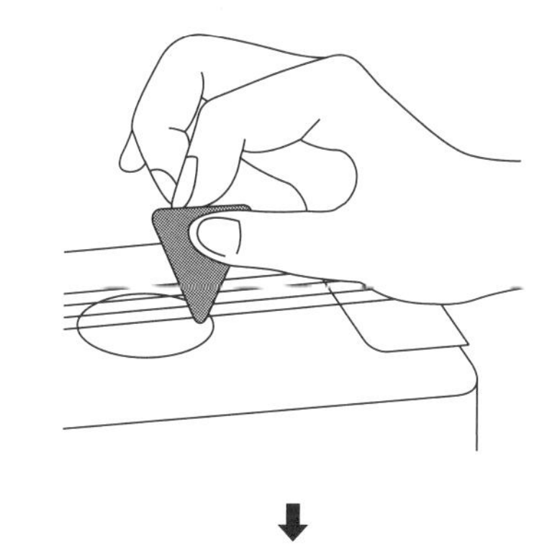

1 右手首を糸掛板の上に置き、ピックの先が響き穴の中心を通るようにピックを動かします。

2 ピックは第1弦～4弦に対して垂直・平行に立て、ピックの先端を**1～2mm**弦に当てながら撥弦します。

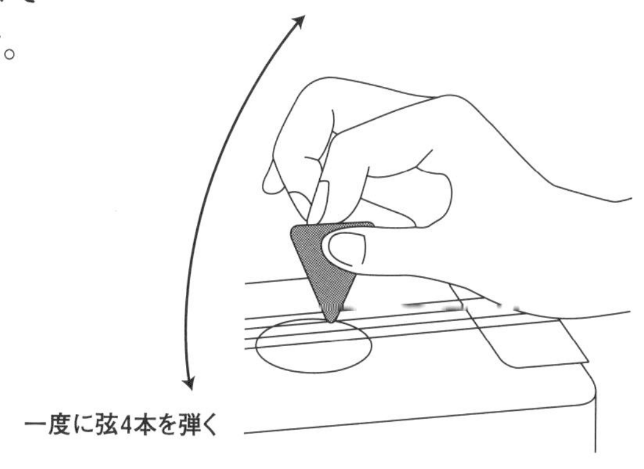

3 手首を支点して手前から向こうへ、コンパスで丸を描くように**4本の弦を一度**に撥弦します。

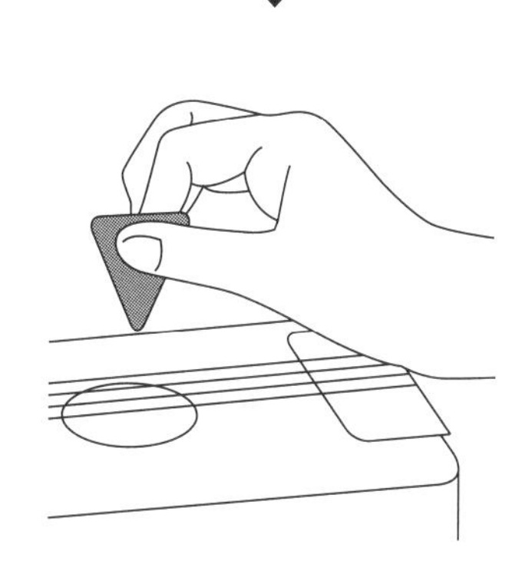

4 振り幅を**一杯にふる**ような気持ちで、大きく上下に振りましょう。

撥弦

弦をピックで弾くことを、**撥弦**（はつげん）といいます。

音部キーの押さえ方

基本編

運指記号

次は左手の操作です。左手は、音階キーを押えてメロディーを奏でます。この時、左手で音階キーを押すタイミングと右手で弦を弾くタイミングは、**ほぼ同時**です。

左手は５本の指全部を使って弾きます。その**指使い**を表すために、下記のように二通りの表記方法があります。運指記号は**数字譜に併記**（P.32～参照）するのが基本です。本書では、向かって右例の漢数字を楽譜に併記します。

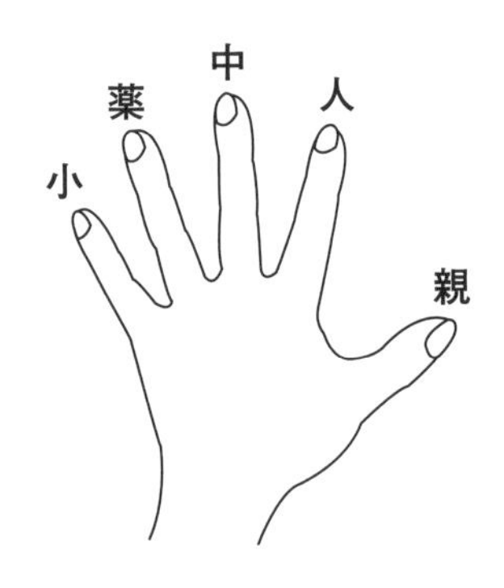

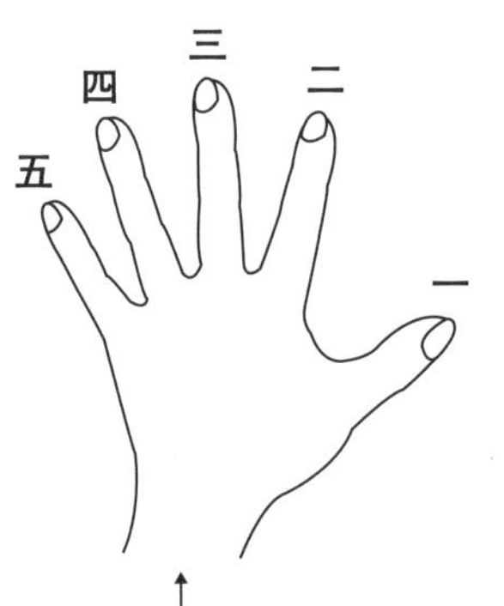

↑
※本書では、こちらの漢数字で表しています

押さえ方

音階キーは１つのキーに対し、１本の指で押すのが原則です。叩いたりせず、しっかり押えて弾きましょう。下記にいくつかポイントを挙げますので、参考にしてみましょう。

1 **爪は短く**切りましょう。必須です！

2 **各指の腹**で、音階キーに対し**水平に**、しっかり押えます。但し、親指は爪の右側の厚みでしっかりとキーを押さえます。

3 指に力をかけ過ぎたり、まっすぐ伸ばしたり、又は反ったりしないように注意しましょう。天板の上に指先がはみ出してしまうのも正しいフォームではありません。

〈×〉

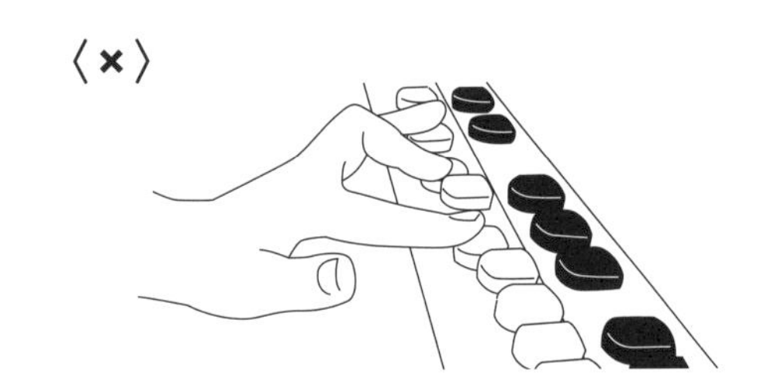

〈×〉

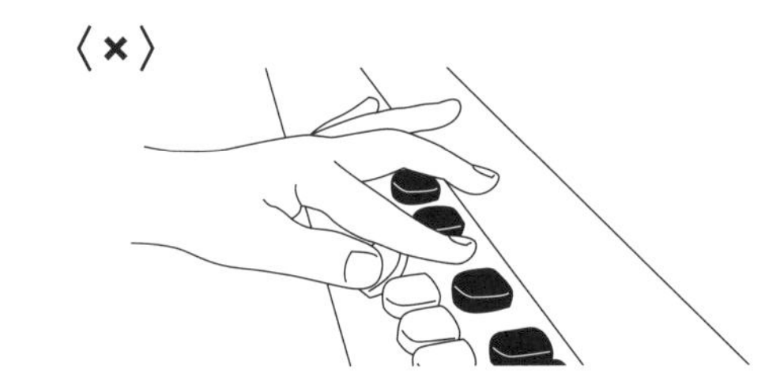

4 余分な力を抜き、**左手全体**で丸く**アーチ型**を作るように、暖かい感じで各キーに指を乗せます。**手首**は各キーより**下らない**ように注意しましょう。

〈○〉

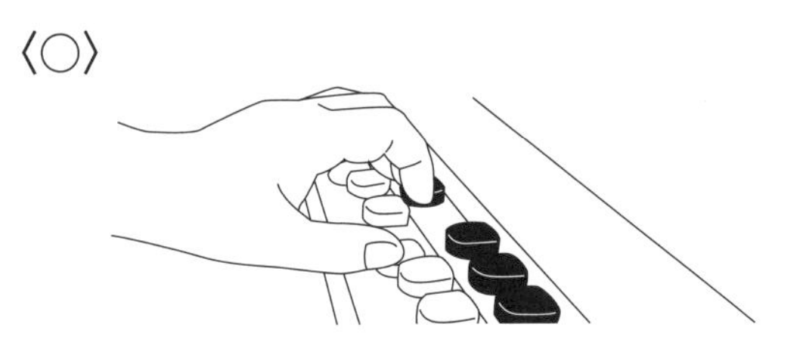

また、基本はキーに対して**平行**に指を置きましょう。どちらかに傾けて置くと弾きにくくなります。

〈○〉　〈×〉

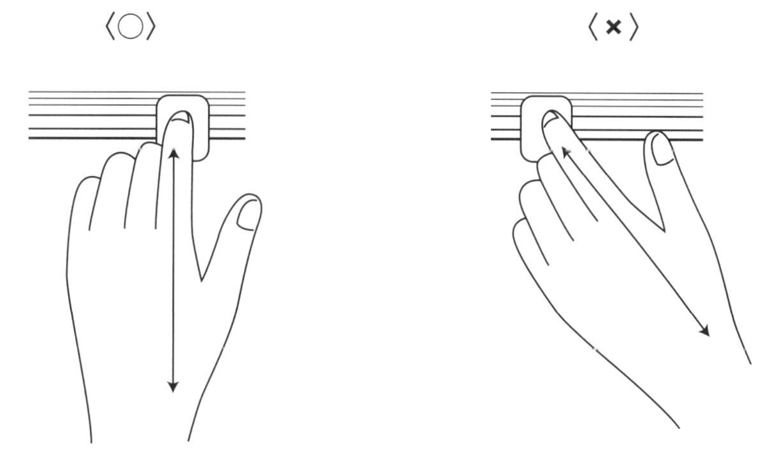

5 **使っていない指**も、常に**キーの近く**に置きましょう。

6 音階キーは**高音になるほど**、体重をキーに乗せてしっかり押えます。押さえ方が**浅い**と**不安定な音程**や**音色**が出ますので、注意しましょう。

親指（一）の押え方

指の腹ではなく、**爪の右端**が音階キーに当たるように自然に押えます。

カクニン！

右手……右腕は**大正琴の弦の延長線上に置くよう、**再度確認しましょう。右腕のヒジはテーブルに触れぬよう、脇も広く開けます。

左手……手首だけに力を入れて弾くのではなく、**指先に体重を乗せるように**押えて弾くと、きれいな音が出ます。

こらむ

持ち運び

ケースから大正琴を出す際や持ち運ぶ時は、必ず楽器の**両サイド**を持ちましょう。よく、楽器の天板のところを掴む方が見受けられますが、この持ち方を続けているうちに、後ろについている**ビスが弛む**可能性があります。一度弛んだビスを絞め直すのは、意外に大変です。

〈○〉　〈×〉

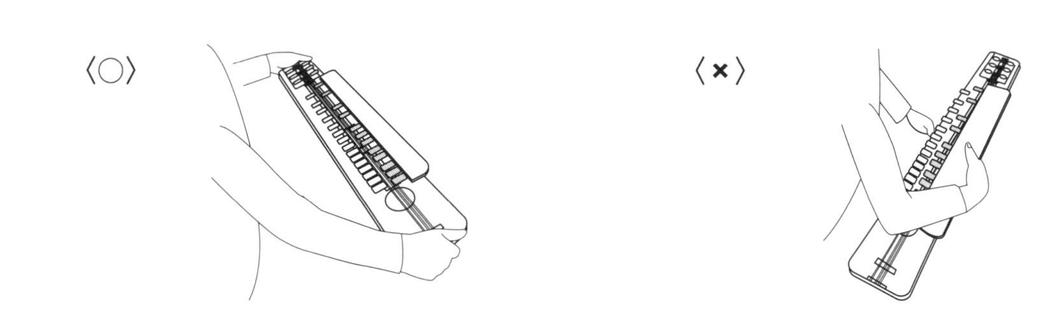

音を出してみよう！

基本編

右手のピック演奏はいくつかの奏法があります。

向こう弾き

第４弦と第５弦との間にピックを置き、**右外側へ**一気に撥弦する奏法です。この奏法を、別名「**送り弾き・普通弾き・基本弾き**」ともいいます。

ピックを右外側に払った後は、手首をすばやく手前に返し、次の基本奏法に備えましょう。

数字譜上で「↑」または「﨎」と表記されます。しかし特別な指示がないものは、全てこの奏法で弾きます。

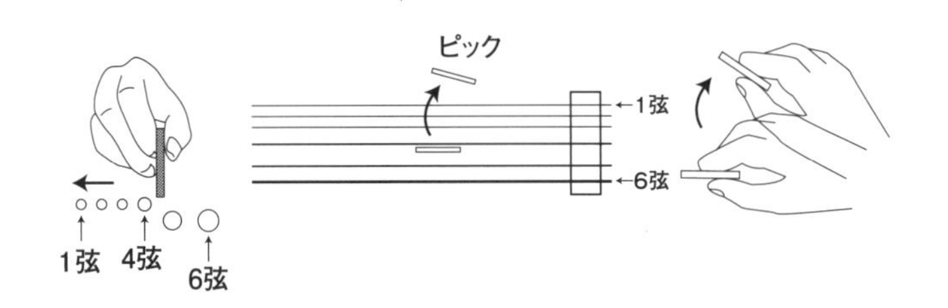

次の楽譜の数字と音階キーの数字とを照らし合わせながら、１曲弾いてみましょう。全て**向こう弾き**で弾きます。第５～６弦も同時に撥弦してしまわぬよう、注意しましょう。

ぶんぶんぶん

村野四郎：訳詞／ボヘミヤ民謡

※ 楽譜の読み方は P.94 を参照

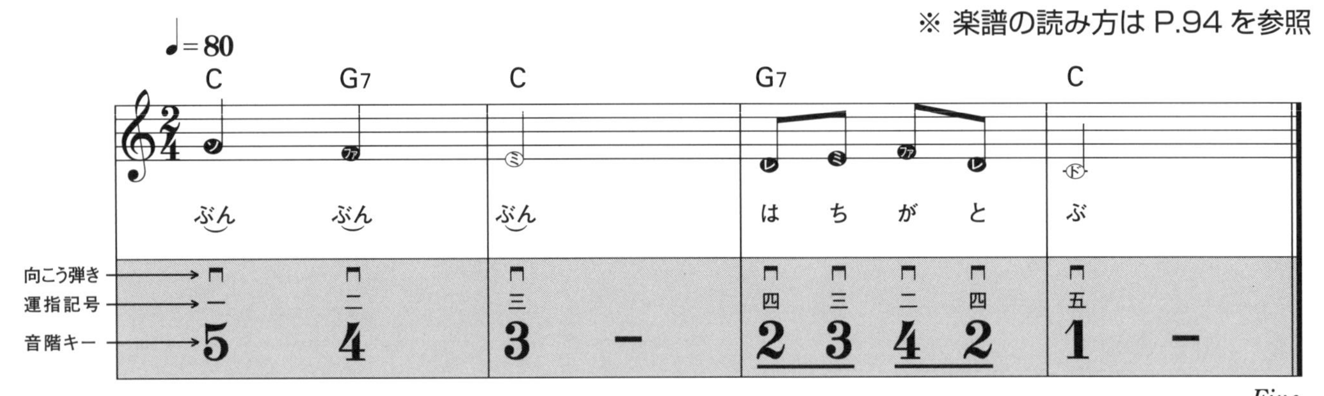

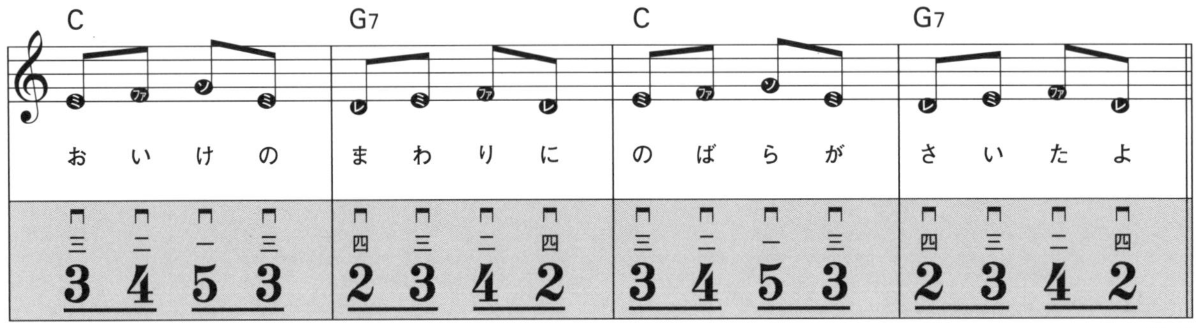

手前弾き

向こう弾きの反対です。第１弦から第４弦に向けて、**左 内側へ**一気に撥弦する奏法です。この奏法を、別名「**返し弾き**」ともいいます。

テンポの速い楽曲や、８分音符「♪」や 16 分音符「♬」などの細かなリズムの楽曲では、向こう弾きばかりでは疲れてしまいます。この時に、「**向こう弾き**」と「**手前弾き**」**を組み合わせて**弾きます。

手前弾きは、数字譜上で「↓」または「V」と表記されます。

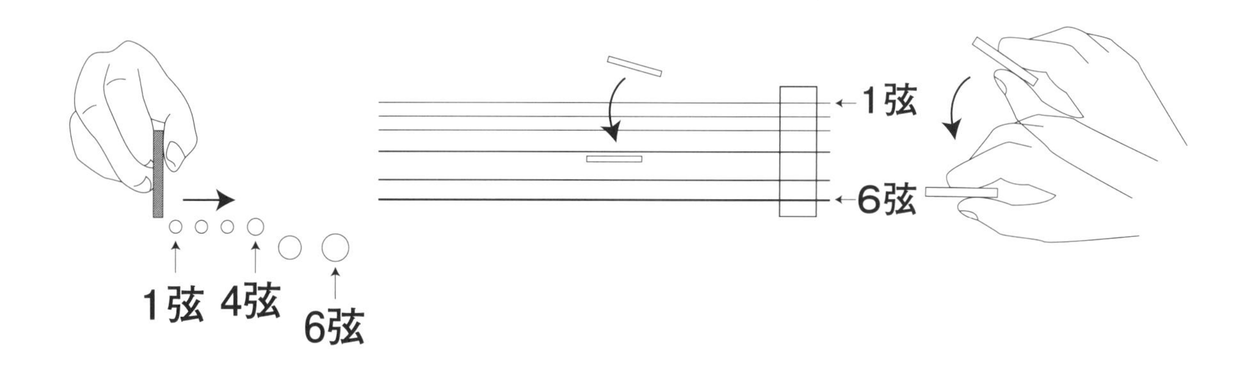

では、先ほど弾いた「ぶんぶんぶん」を今度は、向こう弾きと手前弾きを**組み合わせて**ゆっくり弾いてみましょう。

ぶんぶんぶん

村野四郎：訳詞／ボヘミヤ民謡

♩=80

C	G7	C		G7				C	
ソ	ファ	ミ		レ	ミ	ファ	レ	ド	
ぶん	ぶん	ぶん		は	ち	が	と	ぶ	
⊓	⊓	⊓		⊓	V	⊓	V	⊓	
一	二	三		四	三	二	四	五	
5	4	3	−	2	3	4	2	1	−

Fine.

C				G7				C				G7			
ミ	ファ	ソ	ミ	レ	ミ	ファ	レ	ミ	ファ	ソ	ミ	レ	ミ	ファ	レ
お	い	け	の	ま	わ	り	に	の	ば	ら	が	さ	い	た	よ
⊓	V	⊓	V	⊓	V	⊓	V	⊓	V	⊓	V	⊓	V	⊓	V
三	二	一	三	四	三	二	四	三	二	一	三	四	三	二	四
3	4	5	3	2	3	4	2	3	4	5	3	2	3	4	2

D.C.

全弦弾き

第1弦〜第6弦までを一気に撥弦します。これは**楽曲の終り**の〆や、**アクセント**を付けたい部分などに使う奏法です。ジャーンと和音を鳴らす感じで、「向こう弾きを拡大させた奏法」と考えましょう。

数字譜では、アルペジオ（P.47参照）と同じ、「 」と表記します。

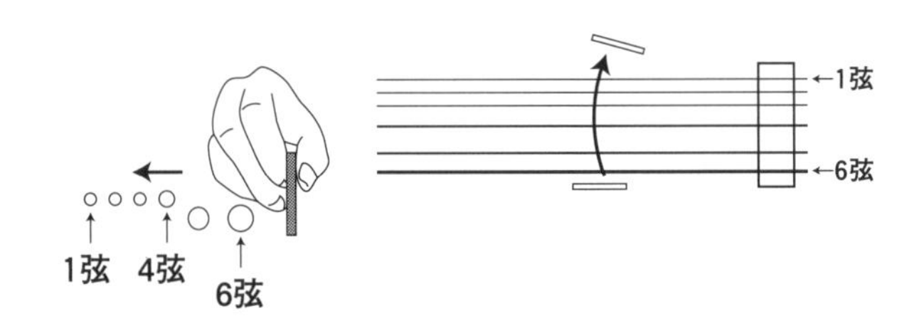

第5・6弦は共鳴弦のため通常はピックで弾きませんが、全弦弾きをすることによって変化を付けたい場合は、第5・6弦の調弦する音(合わせる)が、**楽曲の冒頭**、または**全弦弾きをする部分**に記されています。「ソ(G)」以外に、「レ(D)」や「ラ(A)」などの音に合わせます。下記の譜例を見てください。

「さくらさくら」より

日本古謡

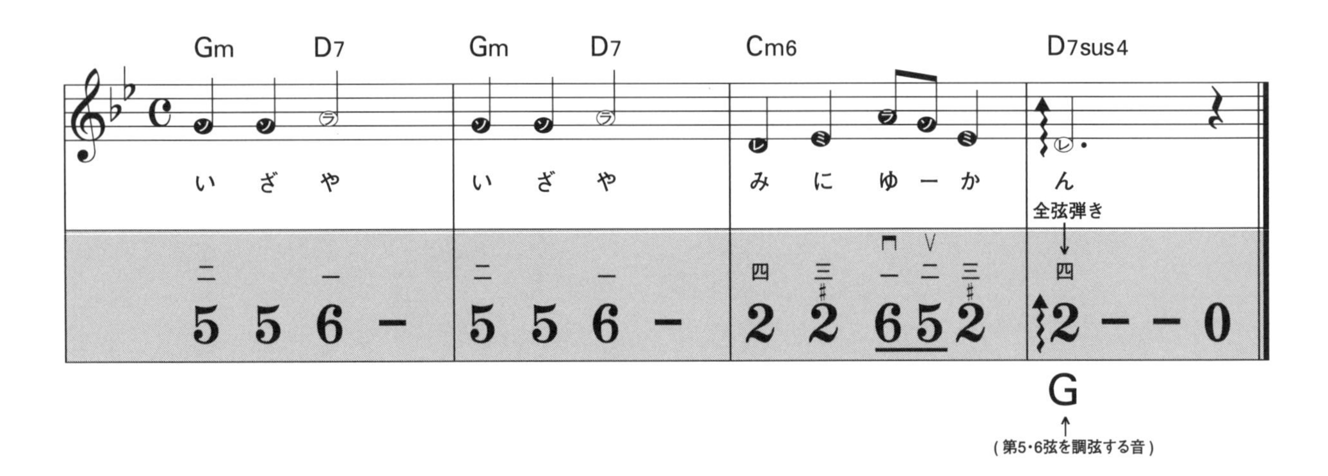

最後の「レ（2）」の音階をキーを**押さえたまま**、6弦全てを向こう弾きします。第1〜6弦までが「ソ」と「レ」の音が出ていれば正解です。

開放弦弾き

第4～1弦を一度に撥弦します。　これを**開放弦弾き**といいます。第5・6弦は弾きません。

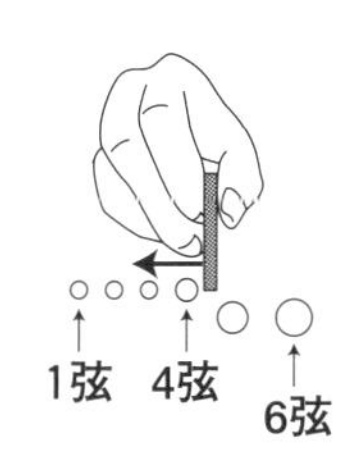

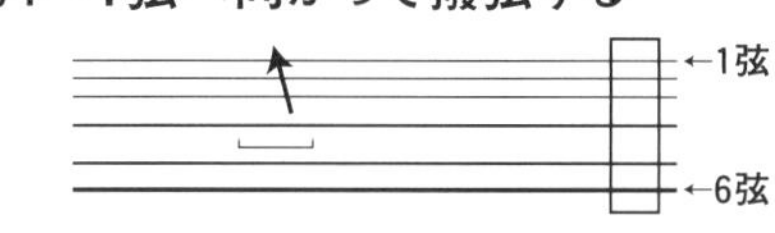

大正琴は、どの弦も「G(ソ)」の音に調弦しますので、「5」のキーは存在せず、弦をそのまま撥弦すると「G(ソ)」の音が出ます（一部の大正琴には「5」のキーが付いている機種もあります)。

ポイント　きれいな音を出すためには…

きれいな音を出すためには、弦の近くで撥弦することばかりに捕われず、**振幅を大きく、手首は軽く**振りましょう。また、ピックの硬さや大きさによって、ピックに加える力も変わってきます。

こらむ

スティック弾き

大正琴には、ピックで弾く奏法の他に、えんぴつなどの棒状のものを右手に持って弾く奏法もあります。
本来はピックで弦を弾きますが、慣れないうちは、この「スティック弾き」をしても良いでしょう。

ピックで弦を弾く代わりに、えんぴつやペン、お箸などを右手に持ち**弦を叩いて**音を出します。大正琴はテーブルに対してまっすぐに置き、姿勢は大正琴の目の前にくるように整えましょう。ピック弾きをする時のように、右に傾ける必要はありません。

誰でもすぐに弾ける奏法なので、子どもが弾く時にも最適な奏法です。

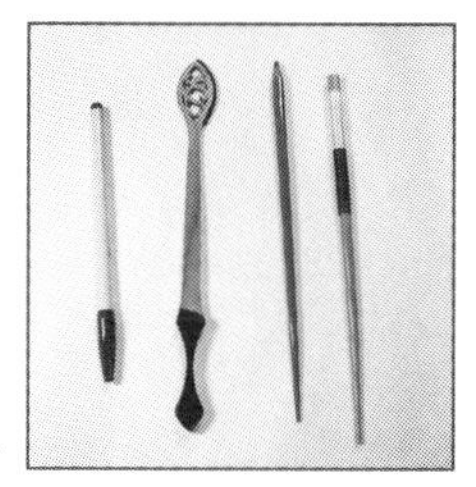
えんぴつやペンなどを持って弾く→

音階キー

基本編

音　域

本書の最初でも述べましたが、大正琴は音の高さを数字で表します。これを**数字譜**（P.32参照）といいます。つまり**音階キーの数字**が、それぞれ**音の高さ**を表しています。

大正琴で使用する音は、低音の「ソ」から、高音の「ラ♯」までの28音です。ただし、**第1弦～3弦**と**第4弦**では、ちょうど**1オクターブ**離れた音が出ます。これは4本の弦を一気に撥弦した際に、上の第1弦～3弦の響きに拡がりを持たせるための構造です。

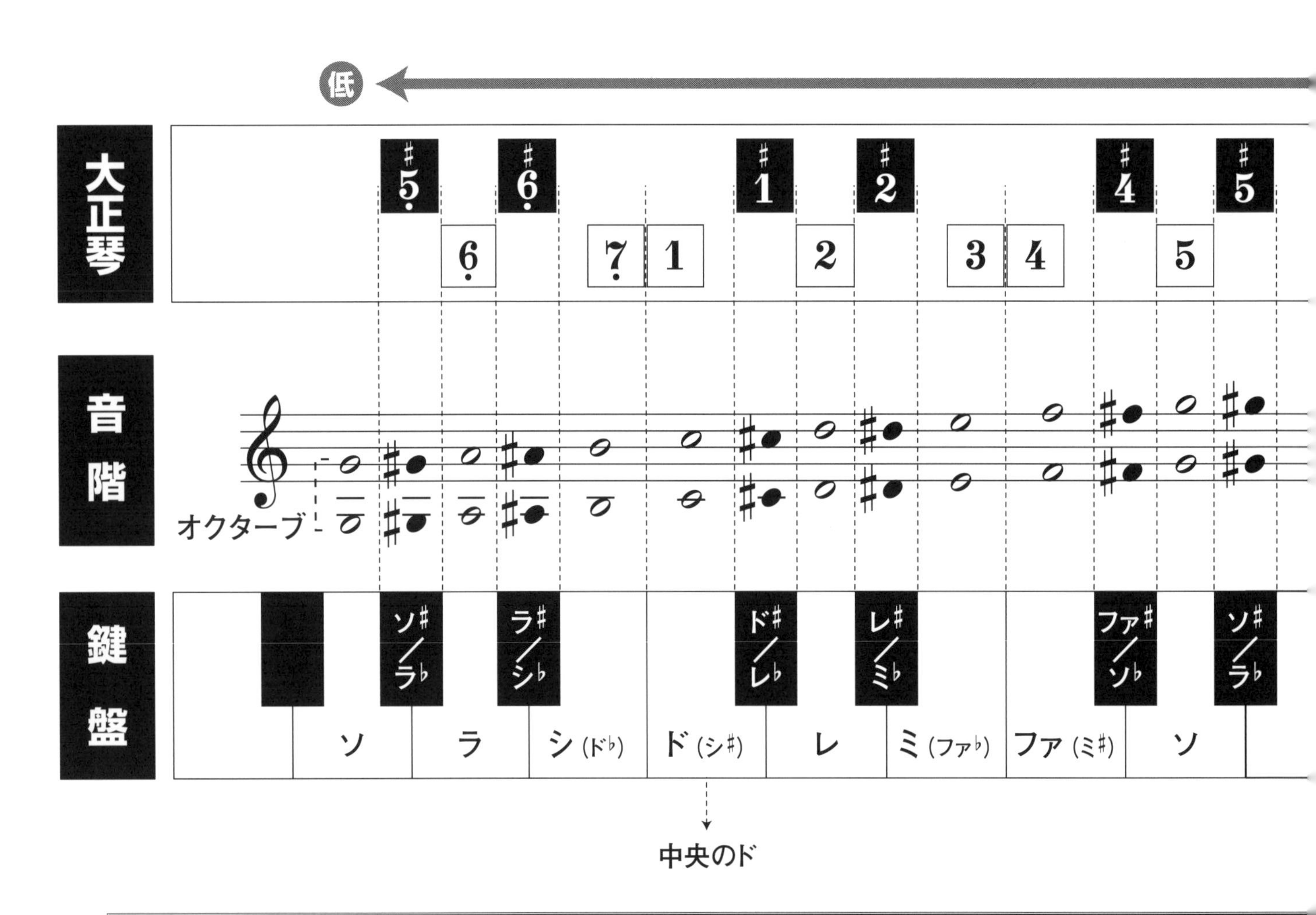

黒いキー

大正琴の音階キーには、白いキーと黒いキーがありますね。**白いキー**が鍵盤でいう**白鍵**、**黒いキー**が**黒鍵**です。

この黒鍵つまり**黒いキー**は、元の音より**半音上がる**記号「♯」です。これを**シャープ**といいます。

左側へ行くほど**低音**になり、音階キーには**数字の下**に「$\underset{\cdot}{6}$」、「$\underset{\cdot}{7}$」のように、点（・）が付きます。
反対に、**右側**へ行くほど**高音**になり、音階キーには**数字の上**に「$\dot{1}$」、「$\dot{2}$」のように、点（・）が付きます。

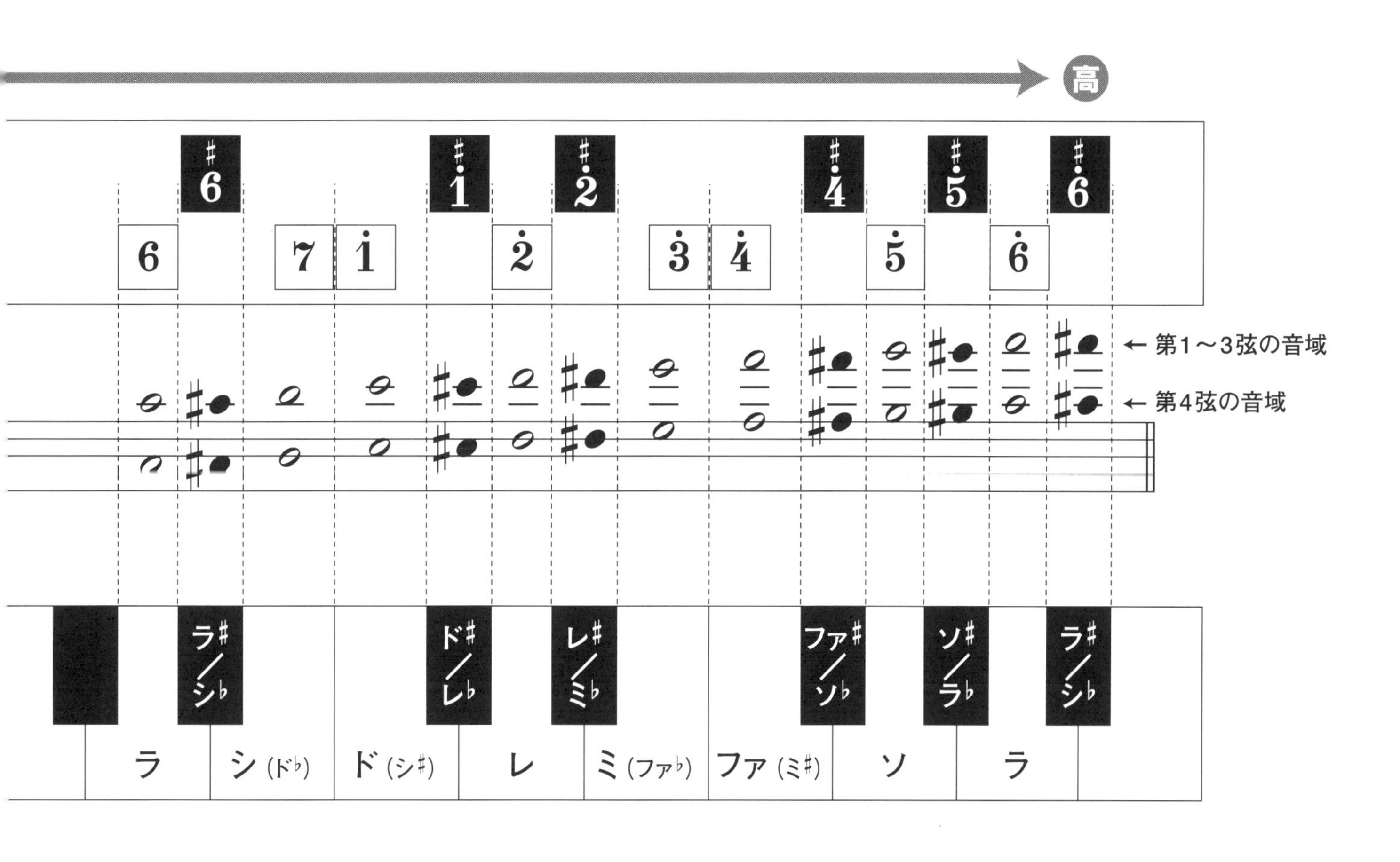

例えば数字譜で表した場合に、
「ソ」の音が**半音上がる**と「**ソ♯**」⇒「$\overset{\sharp}{5}$」と表記します。

反対に、元の音より**半音下がる**記号を「♭」**フラット**といいますが、大正琴では「♭」記号は使わず、**黒いキーは全て**「♯」を使います。

少しややこしいですが、数字譜で表した場合に、
「ソ」の音が半音**下がる**時でも、「$\overset{\sharp}{4}$」と表記します。

数字譜を覚えよう！

基本編

音符の長さ

音の高さは数字で表しましたね。次は**音の長さ**です。冒頭でも記しましたが、大正琴は各流派によって、独自の記号を数字譜に採用している場合があります。しかし本書で覚える数字譜は、一般的によく使われている記譜法をご紹介します。

大正琴の数字譜では、数字の横や下に「−」や「＝」と**線を引いて**音の長さを示します。

次の表で、音階キーの「5」つまり「ソ」の音で、**長さ**を表してみましょう。

音符名	音符	数字譜	拍数
全音符	𝅝	5 − − −	4拍
付点2分音符	𝅗𝅥.	5 − −	3拍
2分音符	𝅗𝅥	5 −	2拍
付点4分音符	♩.	5-（5·）	$1\frac{1}{2}$拍
4分音符	♩	5	1拍
付点8分音符	♪.	$\underline{5}$-（$\underline{5}$·）	$\frac{3}{4}$拍
8分音符	♪	$\underline{5}$	$\frac{1}{2}$拍
16分音符	𝅘𝅥𝅯	$\underline{\underline{5}}$	$\frac{1}{4}$拍
32分音符	𝅘𝅥𝅰	$\underline{\underline{\underline{5}}}$	$\frac{1}{8}$拍

4分音符を基準に、それより**長い音符には数字の横に**、4分音符より**短い音符**には、その**数字の下**にそれぞれ線を付加します。

また、**付点音符**には2通りの表記法があります。**数字の右側**に「・」または**短い線**「−」を数字の下に付加します。これは流派や楽譜によって異なりますが、どちらか一方の表記をします。

ポイント **開放弦**

数字譜の中で「$\underset{\bullet}{\underline{5}}$」と表記することがありますが、この音階キーは存在せず、開放弦弾きを表しています。つまり第4〜1弦を一度に撥弦します。

では4分音符を基準とした時、1拍分はどのくらいの長さなのでしょう？　次の表は、1拍分をさらに「イチトオ…」と4分割しています。

1拍の中に、ィが4つ分入っていますね。このィ1つ分は16分音符♪と同じ長さになるのです。

数字譜	拍数	数え方																音符
		1拍				2拍				3拍				4拍				
5 − − −	4拍	イ	チ	ト	オ	ニ	イ	ト	オ	サ	ン	ト	オ	シ	イ	ト	オ	𝅝
5 − −	3拍	イ	チ	ト	オ	ニ	イ	ト	オ	サ	ン	ト	オ					𝅗𝅥.
5 −	2拍	イ	チ	ト	オ	ニ	イ	ト	オ									𝅗𝅥
5‐（5·）	$1\frac{1}{2}$拍	イ	チ	ト	オ	ニ	イ											♩.
5	1拍	イ	チ	ト	オ													♩
$\underline{5}$‐（$\underline{5}$·）	$\frac{3}{4}$拍	イ	チ	ト														♪.
$\underline{5}$	$\frac{1}{2}$拍	イ	チ															♪
$\underline{\underline{5}}$	$\frac{1}{4}$拍	イ																𝅘𝅥𝅯

では次の楽曲で、「音の長さ」を体感してみましょう。

ぶんぶんぶん

村野四郎：訳詞／ボヘミヤ民謡

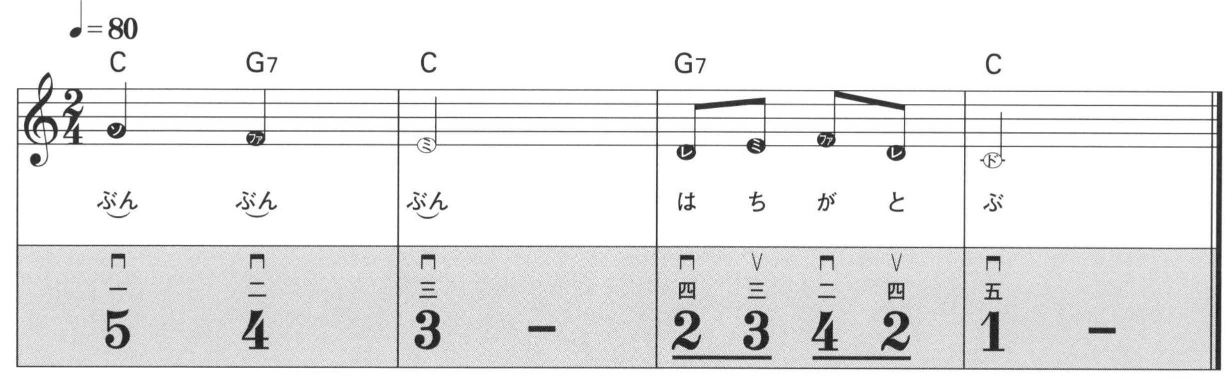

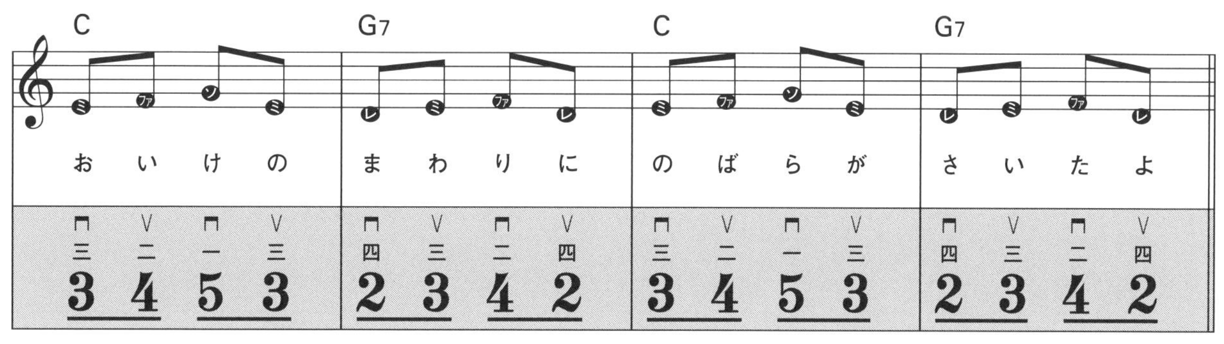

ミッキーマウス・マーチ

J. Dodd：作曲　さざなみけんじ：日本語詞

※「⌒」、「⌣」はP.40、42参照

Brightly（はずんで）

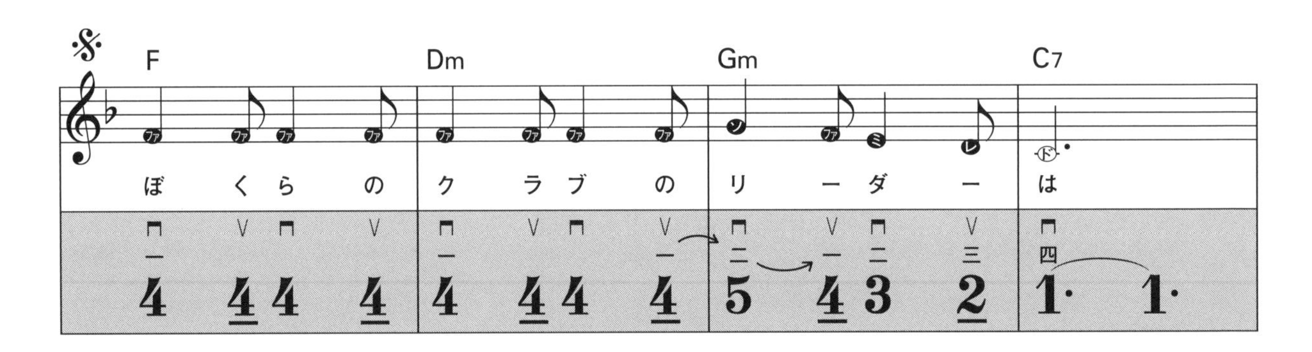

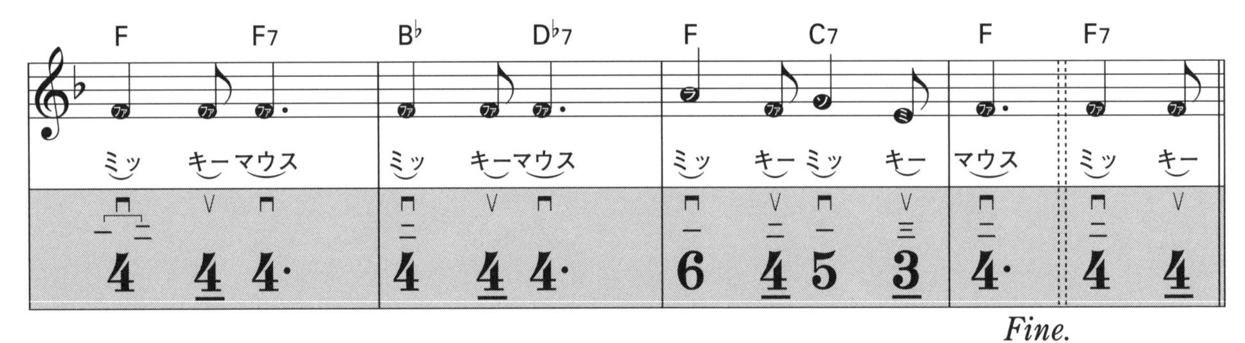

Fine.

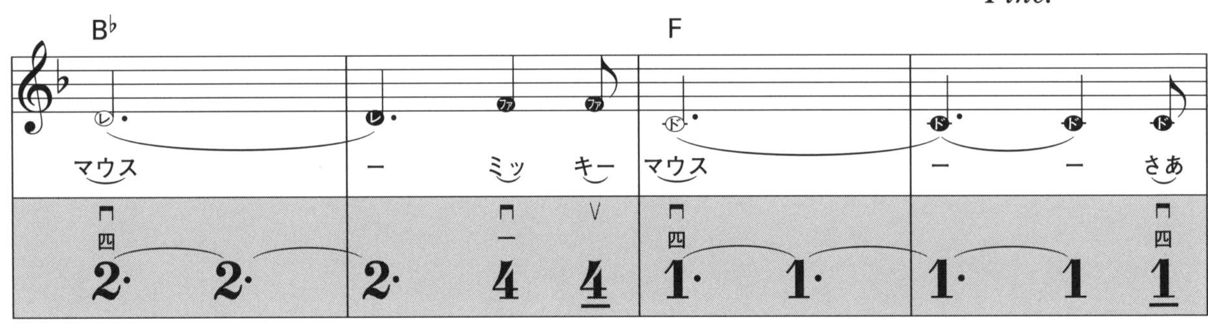

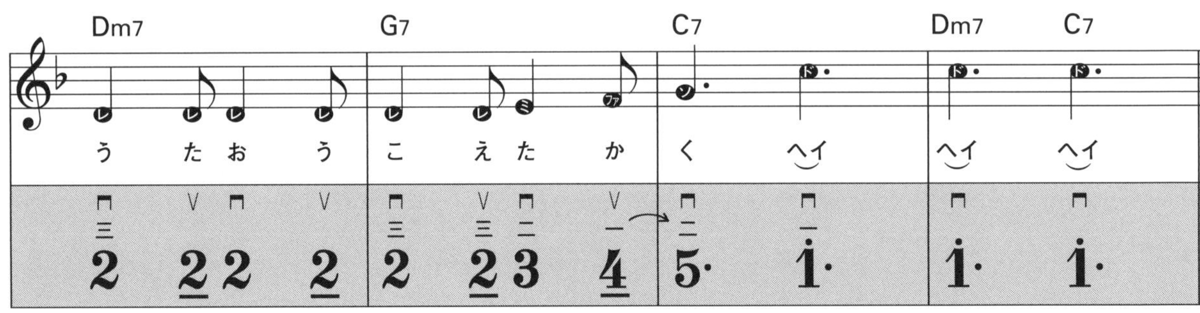

D.S.

休符の長さ

音はずっと鳴り続けてはいません。弾かずに音を出さない「**休符**」もあります。
大正琴の休符は数字の「**0**」で表記し、**休む長さ**の表記は、**音符の表記法と同じ**です。

休符名	音符	数字譜	拍数
全休符	𝄻	**0** − − −	4拍
付点2分休符	𝄼.	**0** − −	3拍
2分休符	𝄼	**0** −	2拍
付点4分休符	𝄽.	**0**- (**0**·)	$1\frac{1}{2}$拍
4分休符	𝄽	**0**	1拍
付点8分休符	𝄾.	$\underline{0}$- ($\underline{0}$·)	$\frac{3}{4}$拍
8分休符	𝄾	$\underline{0}$	$\frac{1}{2}$拍
16分休符	𝄿	$\underline{\underline{0}}$	$\frac{1}{4}$拍
32分休符	𝅀	$\underline{\underline{\underline{0}}}$	$\frac{1}{8}$拍

では休符も覚えたところで、次のページで1曲弾いてみましょう。「**0**」は、中指で弦を押さえて音を止めます。(P.41参照)

こらむ

器楽合奏

大正琴は、大正琴同士の合奏の他に、ピアノなどの他楽器を組み合わせて演奏される**器楽合奏**にも取り入れられています。本書中でも挙げたように、生涯学習や演奏会などでは頻繁に器楽合奏が行われています。

その一つとして、旧文部省主催による「第1回生涯学習フェスティバル」開会式（於：千葉県幕張メッセ/1989年）のイベントでも、**グランドピアノ111台と大正琴400台**の大合奏が行われ、当時はまだ定着していなかった“生涯学習”という言葉の普及を予測させる見事な演奏でした。

さくらさくら

日本古謡

※「⌒」、「⌣」、「▽」はP.40～42参照

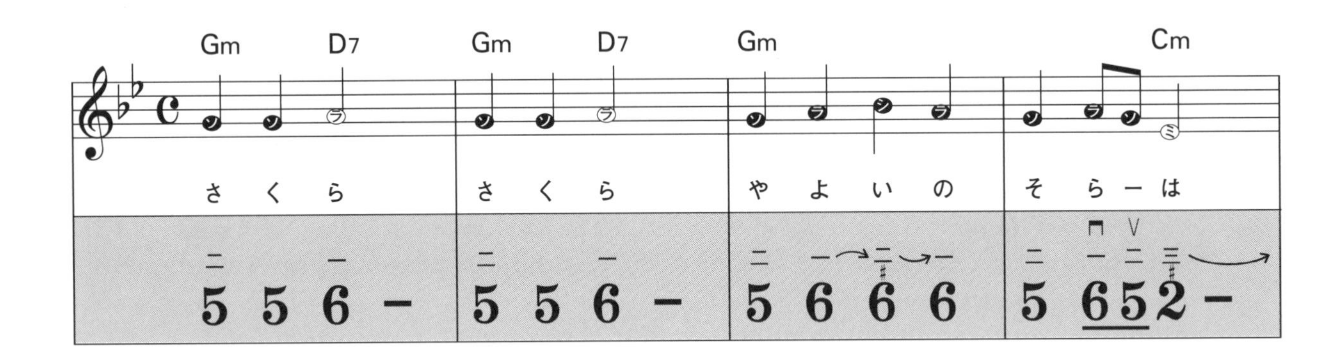

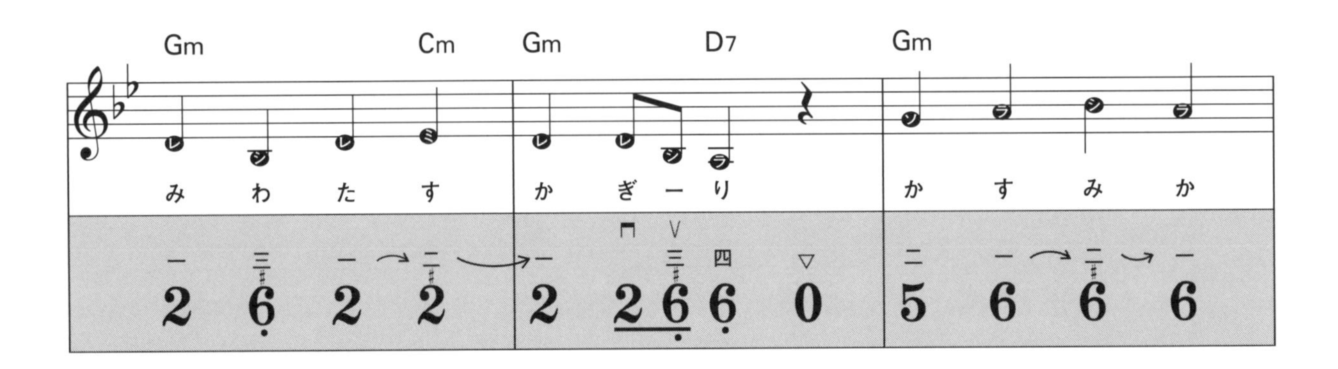

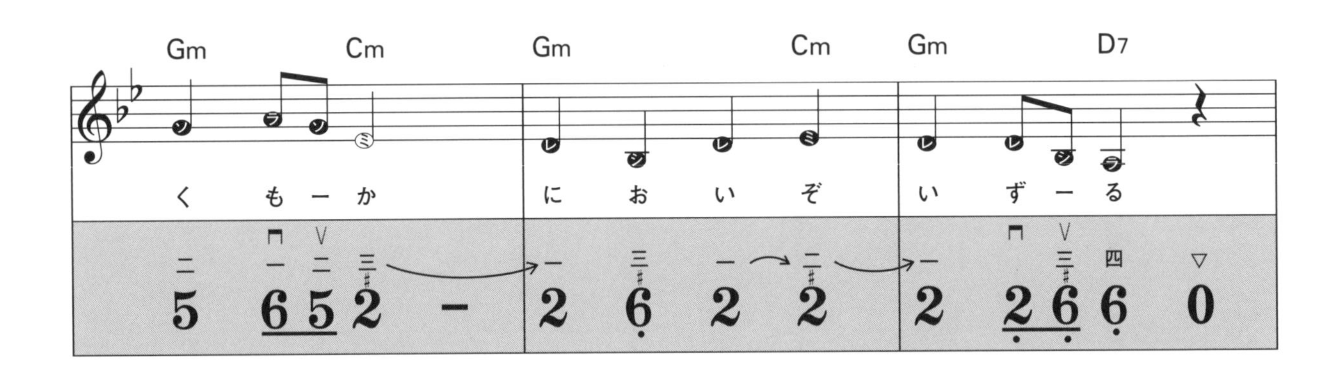

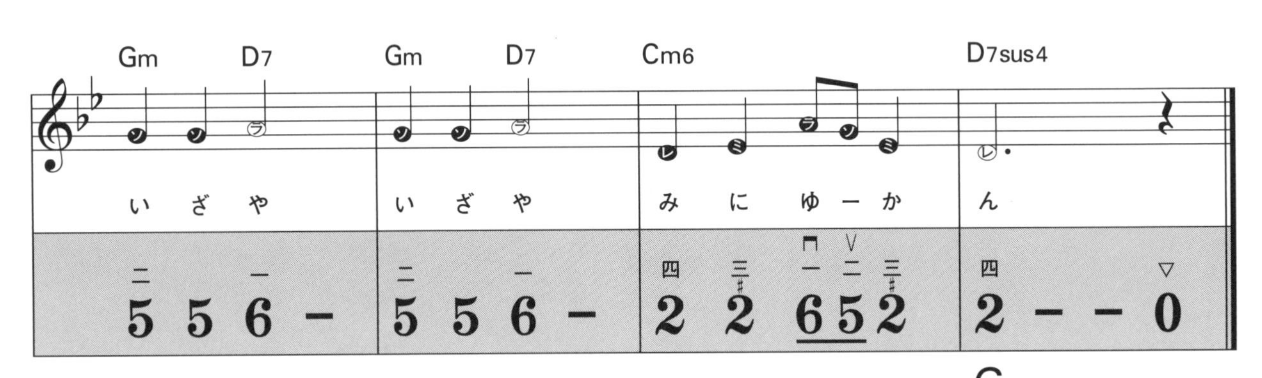

G
↑
全弦弾き

3連符(さんれんぷ)

最後に3連符を覚えましょう。付点音符と同じように、3連符も頻繁に楽曲の中で使われます。音階キーの「5（ソ）」の音で、表してみましょう。

4分音符の三連	♩♩♩（3）
8分音符の三連	♪♪♪（3）
16分音符の三連	♬♬♬（3）

555（3）	（3つの音で2拍分）	𝅗𝅥　5ー
555（3）	（3つの音で1拍分）	♩　5
555（3）	（3つの音で半拍分）	♪　5

3連符の曲例

♪.♬（タッタ）→ ♩♪（3）（ターカ）のように演奏します。はずみ過ぎにならないおさえたリズムで弾いてください。

おばけなんてないさ

槇みのり：作詞／峯 陽：作曲

Allegretto（ゆかいに楽しく）♪.♬＝♩♪（3）

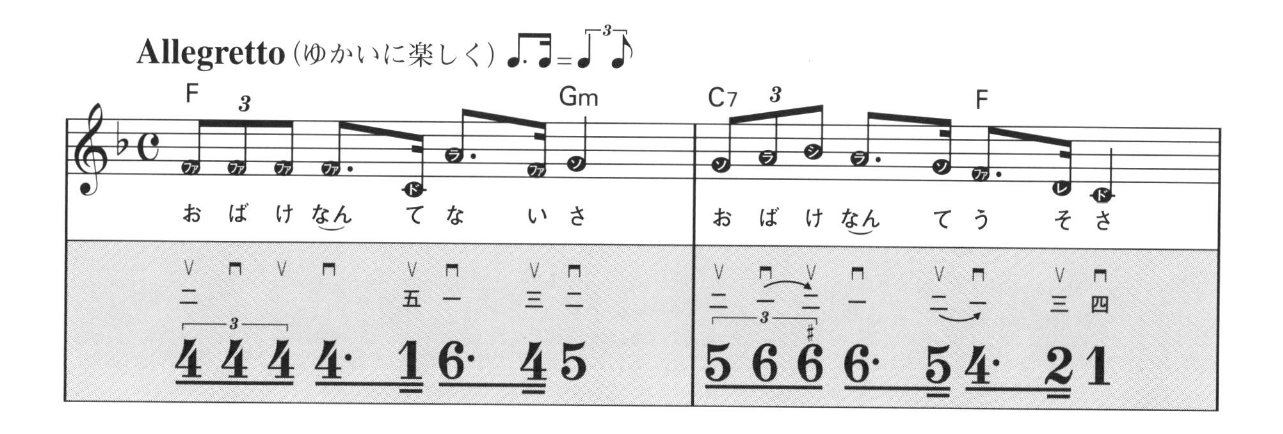

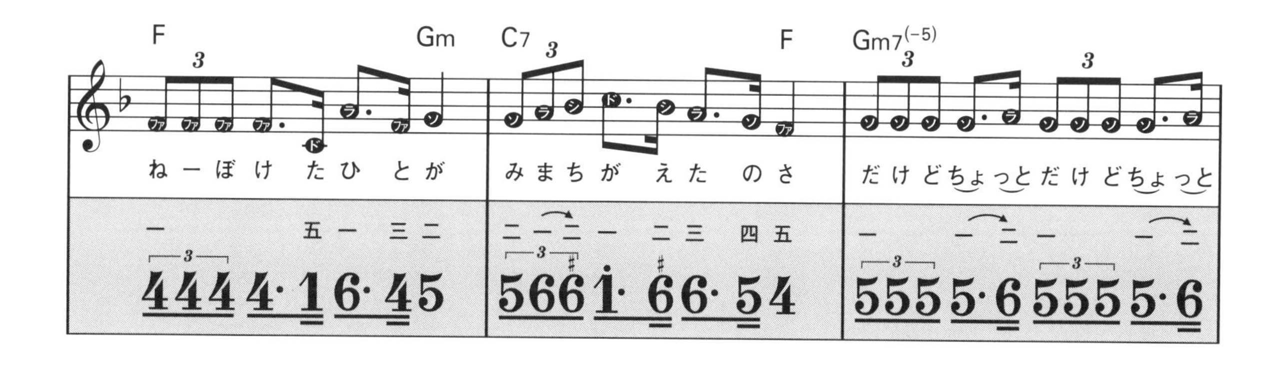

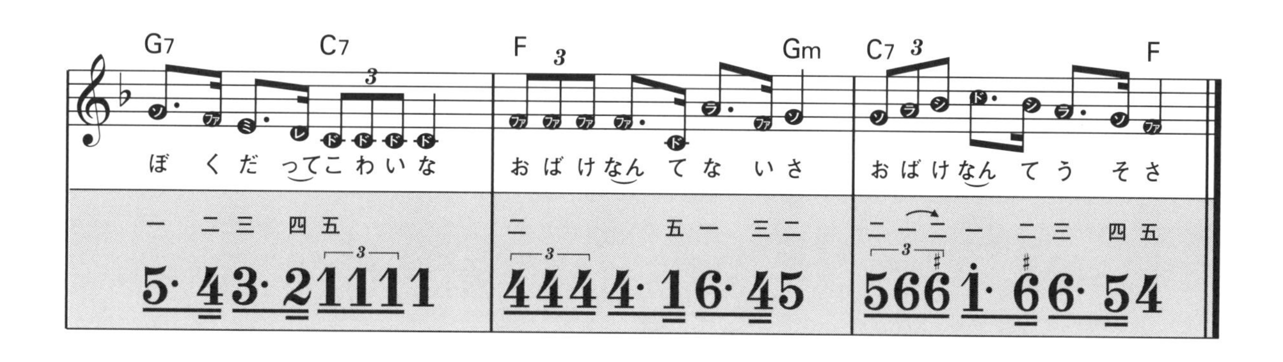

こらむ

小節と拍子

数字譜は、数字や長さを表す線「ー」をただ羅列するのでは無く、ところどころで**縦線**「|　|」の箱で区切られています。この箱を**小節**（しょうせつ）といいます。

(「かえるの合唱」より／岡本敏明：訳詞　ドイツ民謡)

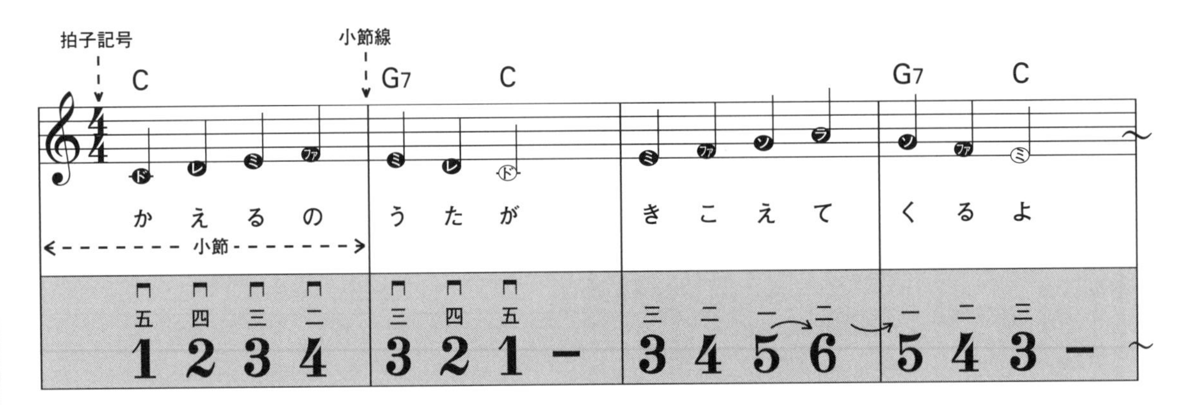

そして、**拍子記号**（ひょうし）は、１小節内に音符がいくつ入るのかを示しています。

左記のように拍子記号は分数で表し、**分母**が１小節の中に入る**音符の種類**、**分子**がその音符の種類が**いくつ入るか**、を示しています。

$\frac{4}{4}$ 1小節に4つ 四分音符が

つまり「かえるのうた」は $\frac{4}{4}$ 拍子ですので、上記のように１小節の中に入る音符の数は、**四分音符が４つ**分入る、ということになりますね。

もちろん拍子は $\frac{4}{4}$ 拍子のみではありません。以下は、よく使われる拍子の一例です。

拍子記号	１小節の単位	表　記
$\frac{3}{4}$	四分音符が３つ分	
$\frac{4}{4}$ 又は C	四分音符が４つ分	
$\frac{6}{8}$	八分音符が６つ分	
$\frac{2}{2}$ 又は ₵	二分音符が２つ分	

テクニックを覚えましょう。

指越え

実践編

まずは**指越え**です。指越えは、**上行するメロディー**を弾く時に、人指し指、中指、薬指のいずれかの指が**親指の上をまたいで**、その先のキーを押す奏法です。

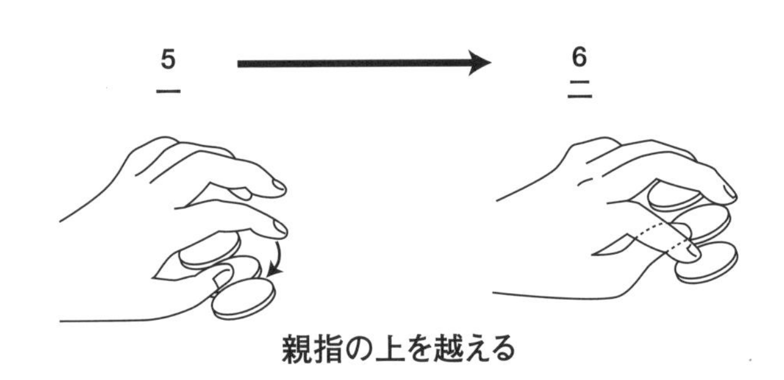

親指の上を越える

「一」の親指の上から「二」の人差指を出し、次のキーを押します。中指や薬指で指越えする時も同じように、親指の上をまたぎます。

右図のように半音（♯）の黒いキーを使った指越えも弾いてみましょう。

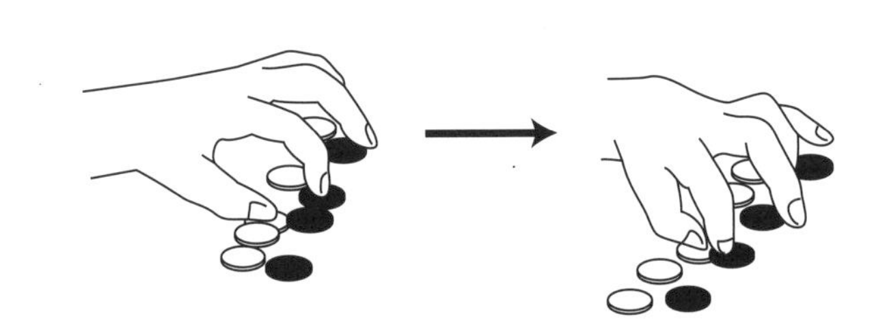

数字譜では、数字間に「 ⌒→ 」と右上向きの矢印で表します。

かえるの合唱

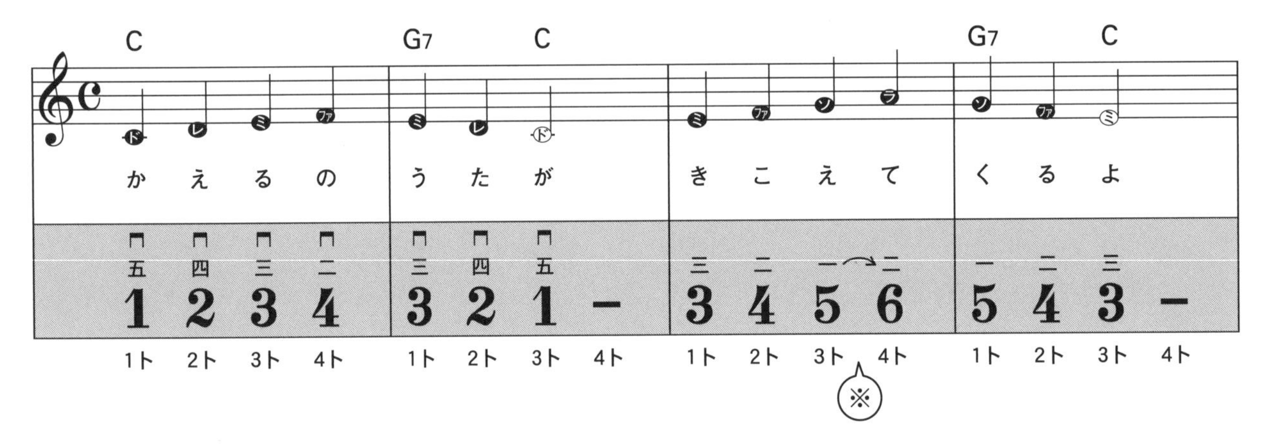

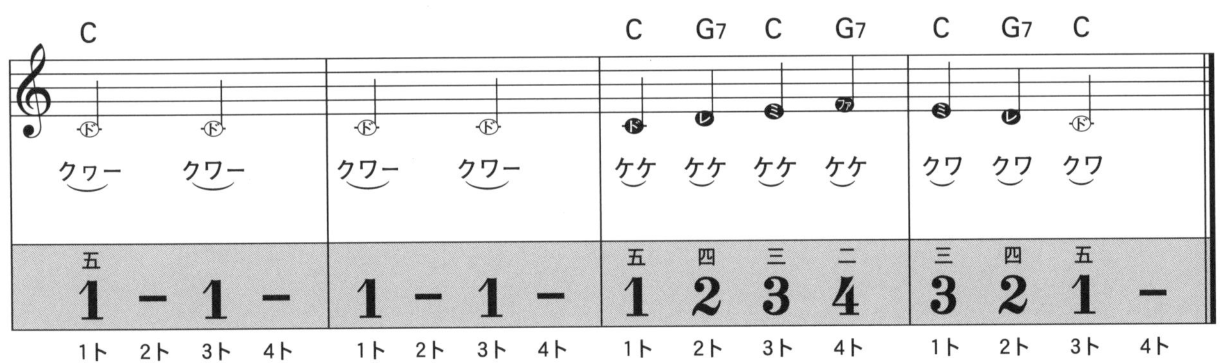

※ 指越えした後に、再び「一」の親指で「5」の音に戻りますね。この指越えした「二」の人差指で「6」の音を弾いている時は、元の「一」の親指は離さずにキーを**押さえたまま**にしましょう。

消音

実践編

その名の通り、弾いた音を止めて消す**消音**（しょうおん）です。弦はピックで弾くと、音は減衰しながらしばらく鳴り響いていますね。休符や、音と音の間を短く切りたい時に、消音します。

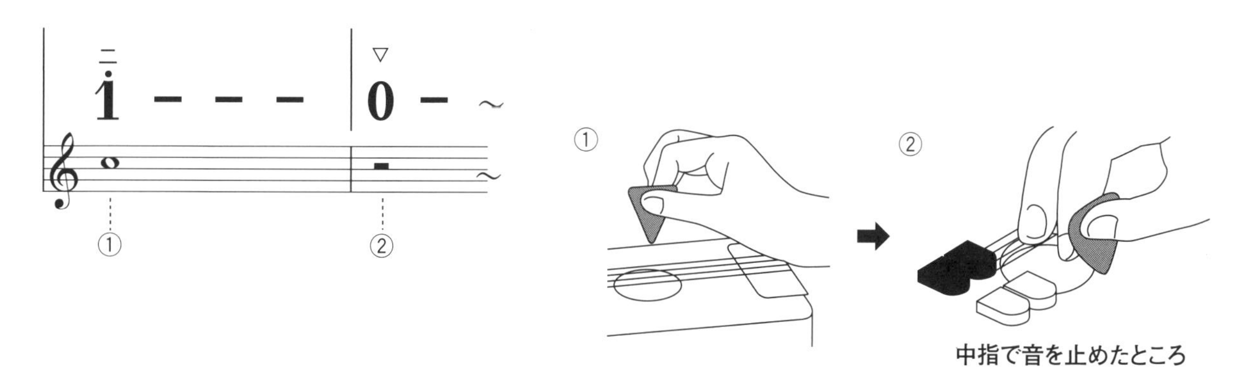

中指で音を止めたところ

特に決まりはありませんが、**中指**で第1〜4弦を消音すると良いでしょう。手の形が崩れずに、次の動作に移りやすく動かしやすい指なので、休符できちんと音を止めることができます。

数字譜では、▽0 または ▼0 と表します。

かえるの合唱

岡本敏明：訳詞／ドイツ民謡

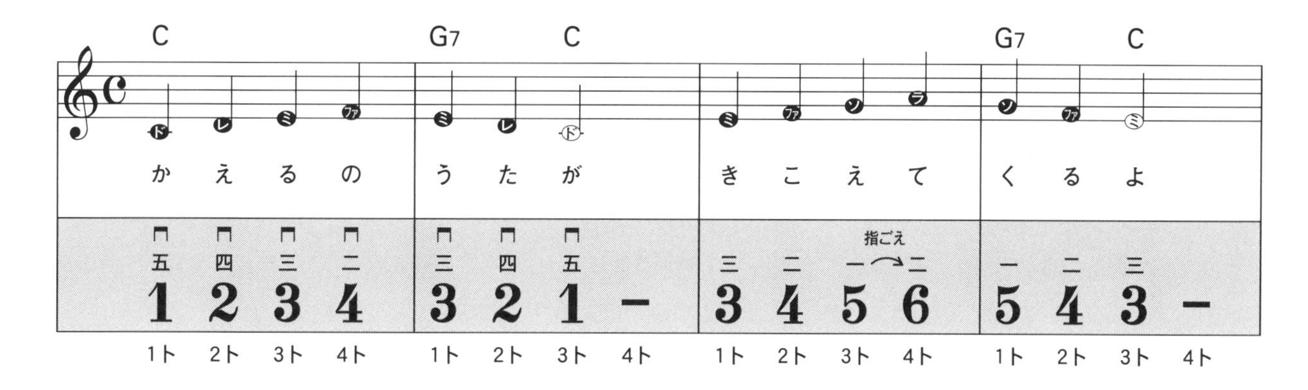

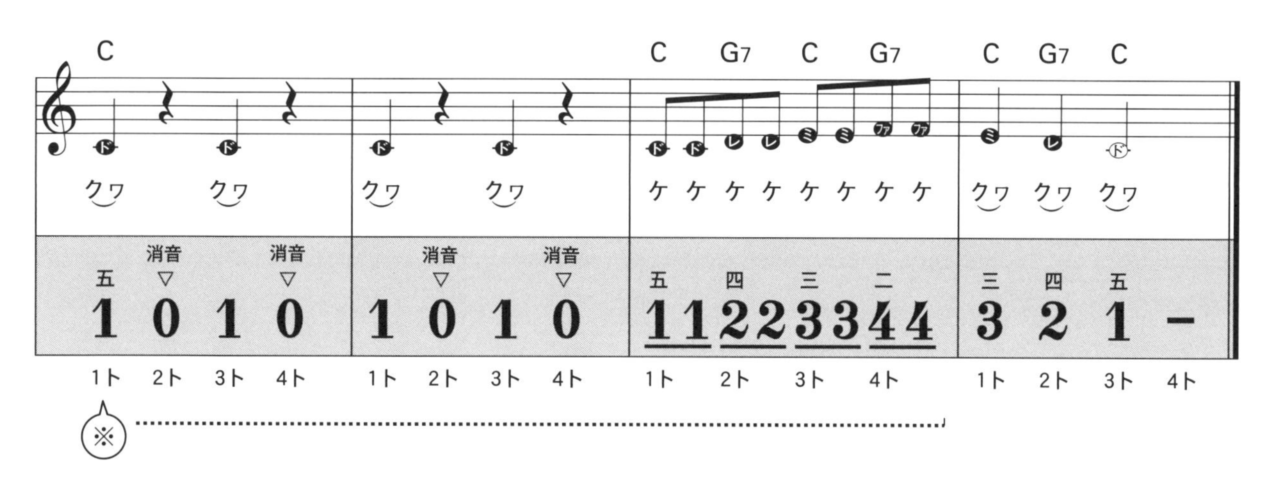

※同じ音を**連続して弾く**場合は、左手のキーは押さえたままに、**右手のみリズムに合わせて**弦を弾きましょう。

指くぐり

実践編

指越えの反対、**指くぐり**です。**下行するメロディー**を弾く時に、**親指が他の指の下をくぐって**、その先のキーを押す奏法です。

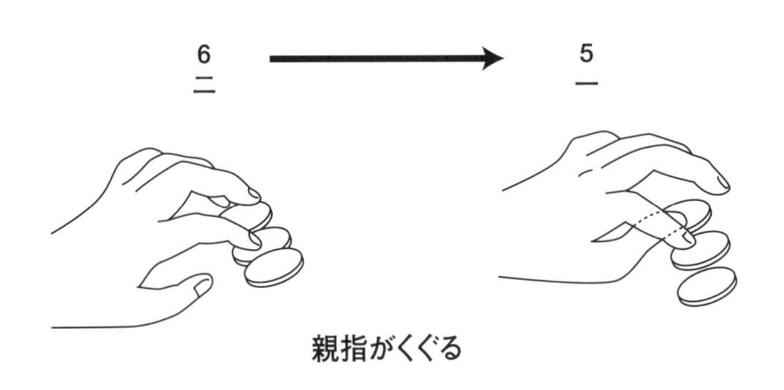

「二」の人差指の下から「一」の親指をくぐらせ、次のキーを押します。中指や薬指の下を、親指でくぐる時も同様です。

半音（♯）の黒いキーを使った指くぐりも弾いてみましょう。

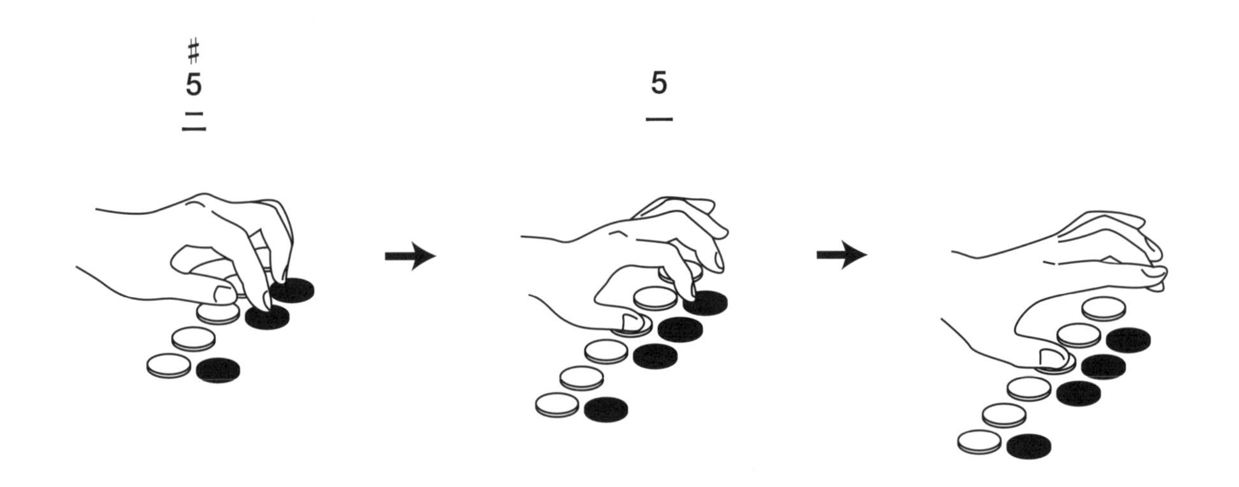

数字譜では、数字間に「⤻」と右下向きの矢印で表します。

次ページの楽曲を弾いてみましょう。左手首をやわらくして、それぞれ指くぐり・指越えをする**次の音の指**を、それぞれ**早めに準備**してキーに乗せましょう。

越天樂今様

慈鎮和尚：作詞　雅楽

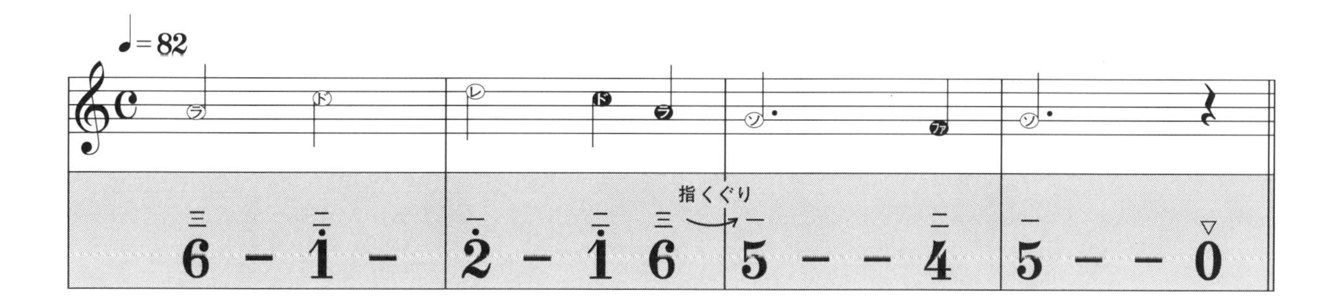

はるの　やよいの　あけぼのに

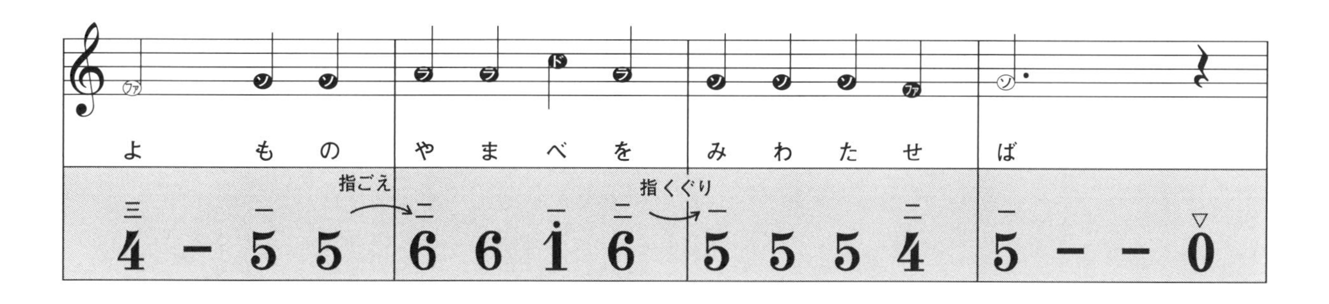

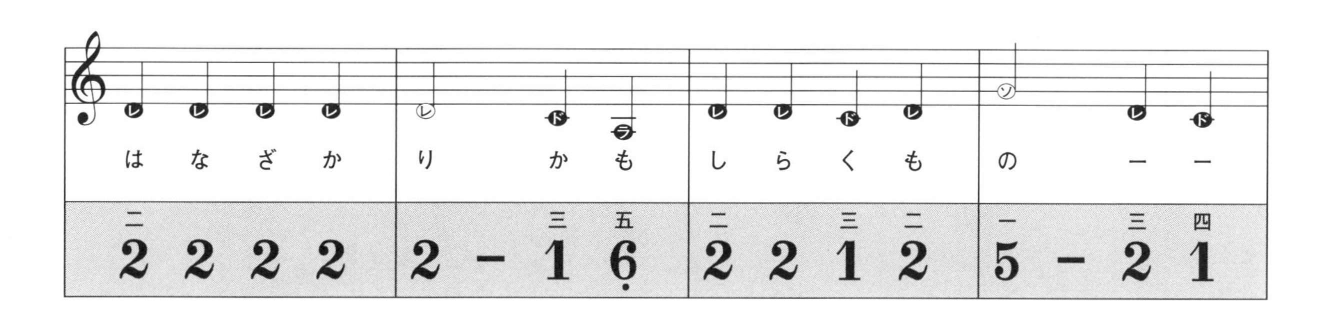

置き指

実践編

一つのキーを**押さえたまま、隣の音**（キー）**を押さえる**奏法があります。これを、**置き指**といいます。

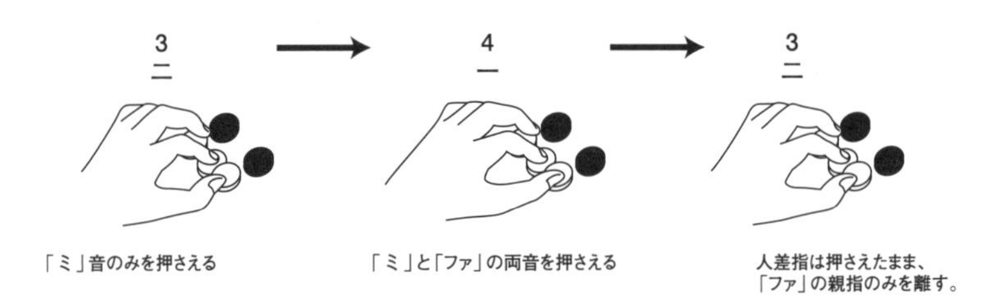

これは他の指でも同じことができます。
次の楽曲で試してみましょう。黒い音階キーを使ってみましょう。

「さくら さくら」より

日本古謡

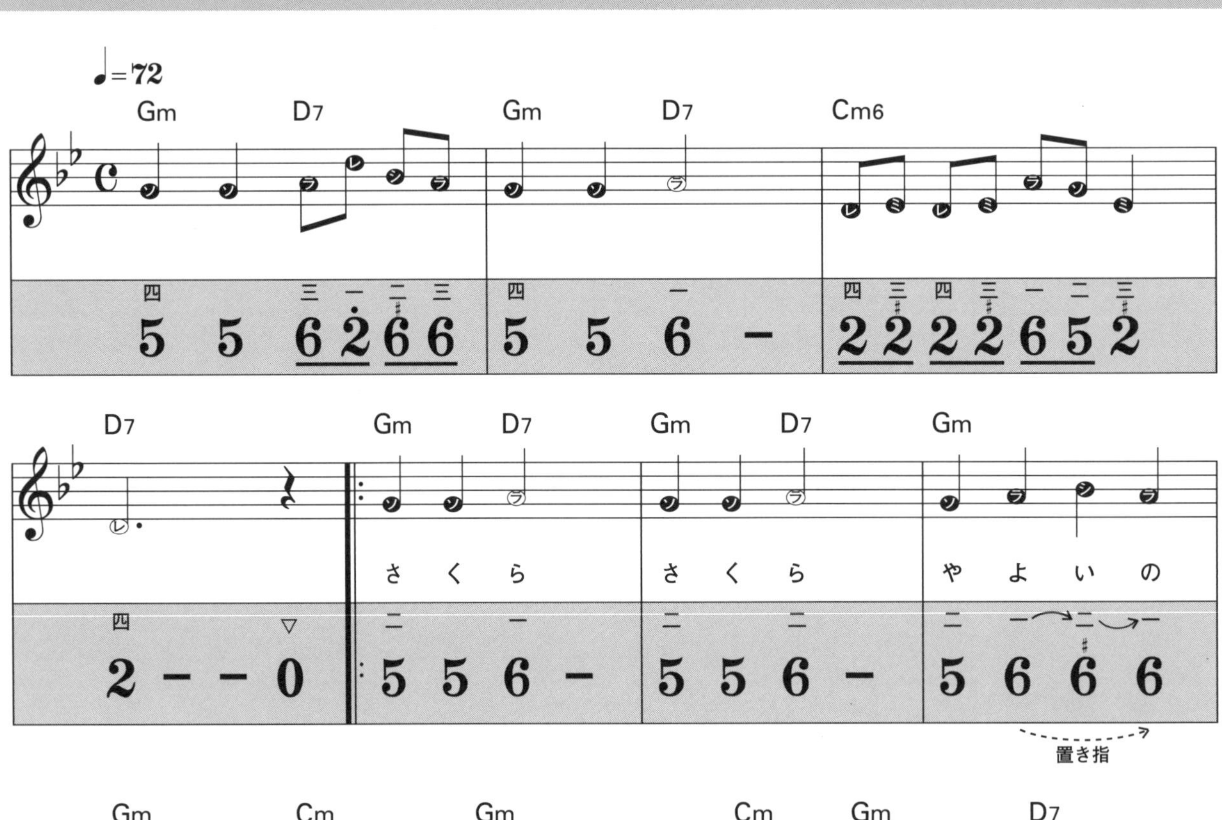

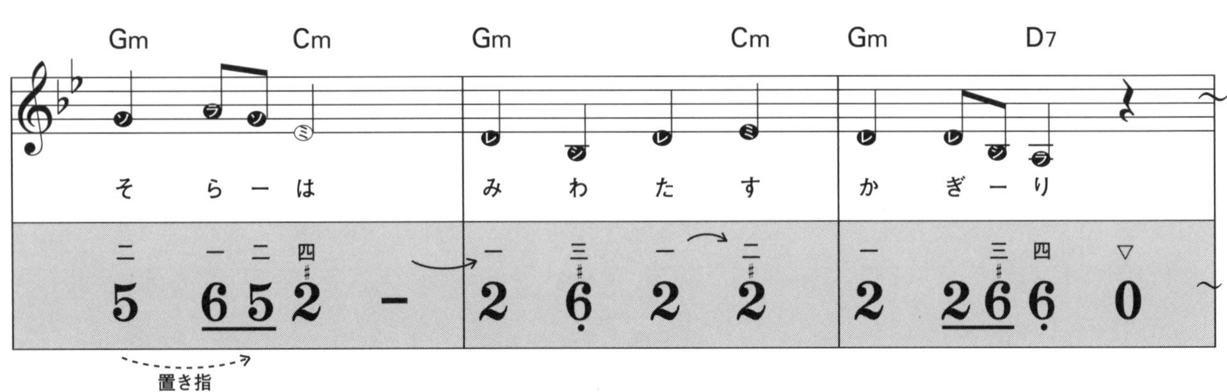

7・8小節目はそれぞれ置き指を使います。7小節目の「6（ラ）」の親指は、指越えした後も再び「6」の親指の音へ戻ります。この間の親指は**音階キーから離さない**ようにします。その次の8小節目も同様に、「5（ソ）」の人差指は離しません。

指替え

実践編

一つの音階キーを押さえたまま、その**押さえている指を持ち替える**奏法があります。これを、**指替え**（ゆびかえ）といいます。

この奏法は、音域を広く使う楽曲などで、運指が**次の音までとどかない**場合や、高音～低音、または低音～高音へ**スムーズに指を移動**させたい時などに使います。別名、指乗り替え（ゆびのりかえ）ともいいます。

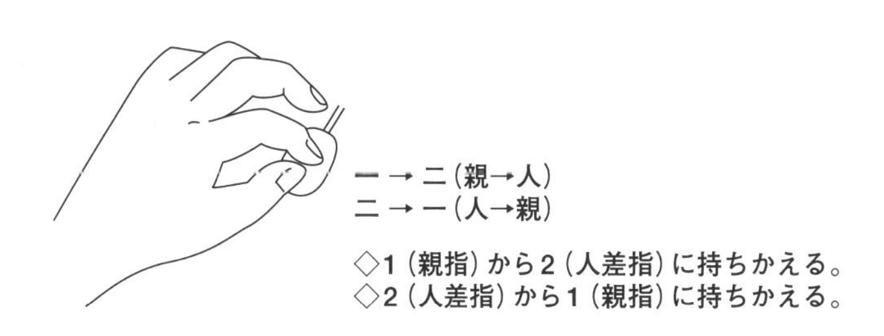

「一」の親指から「二」の人差指へ、または「二」の人差指から「一」の親指へ、指を持ち替えると、次に押すキー（音）への移動がスムーズになります。もちろん、他の指でも同じことができます。

押さえている薬指に親指を添えて替える

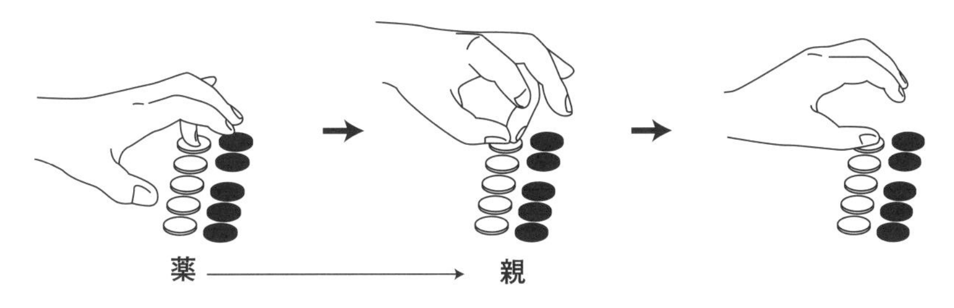

数字譜では、運指記号の上に「一(二)」や「一(二)」と2つの運指にまたがって表記します。英語のスペル「n」のような記号です。向こう弾き「ㄇ」と間違えやすいので注意しましょう。

「越天楽今様」より

慈鎮和尚：作詞　雅楽

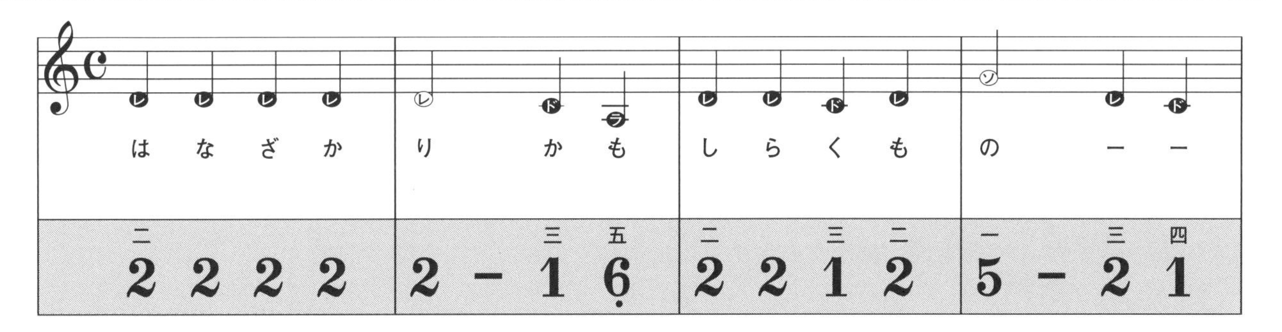

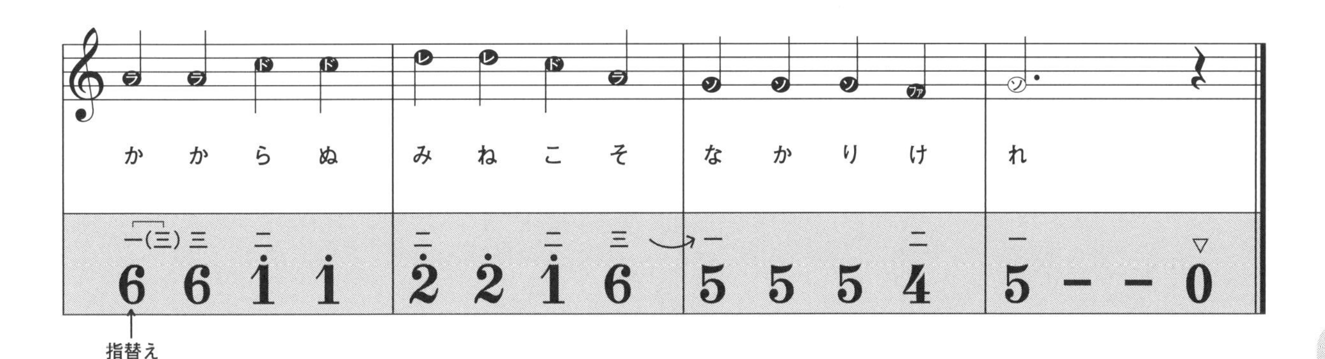

前ページの５小節目に、指替えが出てきました。「一」の親指から「三」の中指へ、**キーを押したまま指替え**します。この場合は、次の２拍目も同じ音なので、この２拍目「６（ラ）」の音で指替えしても良いでしょう。

ポイント
左手

時には右手は休み、**左手のみに集中**して楽曲を練習することも大切です。音階キーを押すだけでも小さな音が鳴りますので、**指使い・指の形・リズム**などを今一度ゆっくりと確認してから弾きましょう。より丁寧におさらいすると、両手で弾いた時とは、また違った発見があるでしょう。

また初心者は、左手の**運指**は数字譜に記載の**指定通り**に弾きましょう。慣れない頃から自己流ばかりで弾くと、動かしやすい指ばかりを使ってしまい、５本の**指全部が均等**に鍛えられないからです。

こらむ
指寄せ／指拡げ

例えば「ド → レ → ミ」と上行するフレーズがあった場合に、これまでは「三 → 二 → 一」などのように、隣り合う音同士は順序のよい運指で弾きましたが、楽曲によっては、音に対して常に順序よく指を運ぶことが適切で無い場合もあります。「ド → ミ」と音が跳躍する場合でも、「三 → 二」と指を運ぶ場合があります。

左手の5本の指を、楽譜に添って順番に使っていくだけでは、大正琴の28個のキーを使いながら**なめらかに**演奏することは難しいです。フレーズの音と音同士がぶつ切りの演奏になってしまわないように、指と指の間を(1～3本)寄せたり、広げたりしながら**そのフレーズに一番合う運指**で弾きましょう。

数字譜上で、指寄せ／指拡げの特別な記号はありません。数字譜に書かれた運指番号を良く見て弾きましょう。そして何故このような指番号になるのかを考えてみることも、上達への近道となるでしょう。

アルペジオ

実践編

ここからは右手のピック弾きについて、いくつかアーティキュレーションを覚えましょう。

ピックの先端を少し1弦の方向へ寝かせ、第4弦から1弦までを、**1弦ずつ**波を打つようにすばやく撥弦します。これを**アルペジオ奏法**といいます。「全弦弾き」と間違えやすすので注意しましょう。アルペジオは第1弦～4弦までを撥弦します。

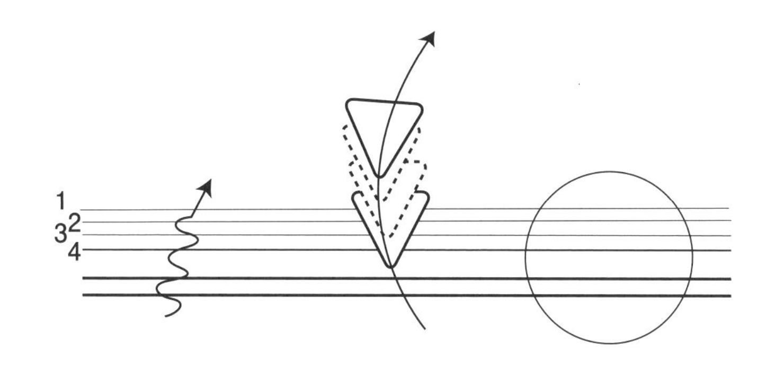

数字譜では、数字の横に、と矢印で表します。

楽曲の中では、アクセントとして、風の音や波の音を表現したり、やわらかさを表現する時にアルペジオを使います。

「さくら　さくら」より

日本古謡

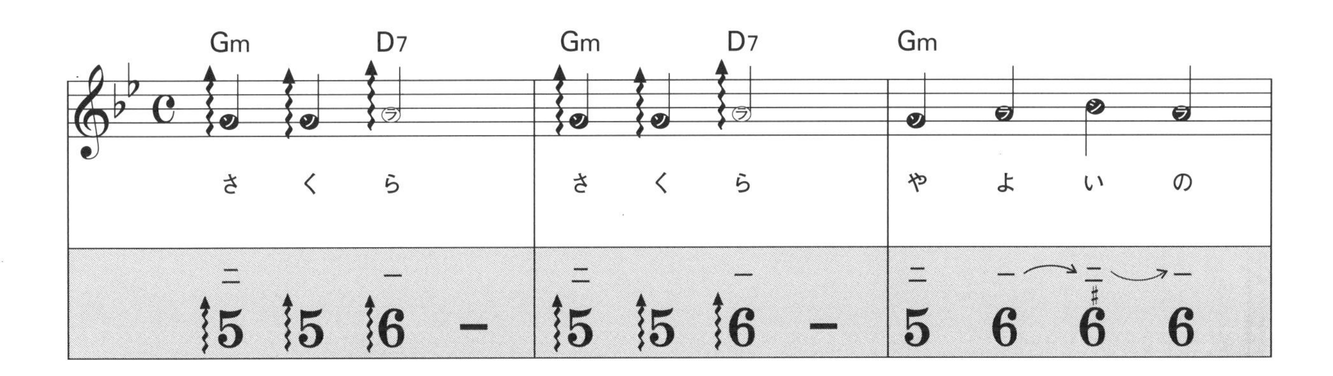

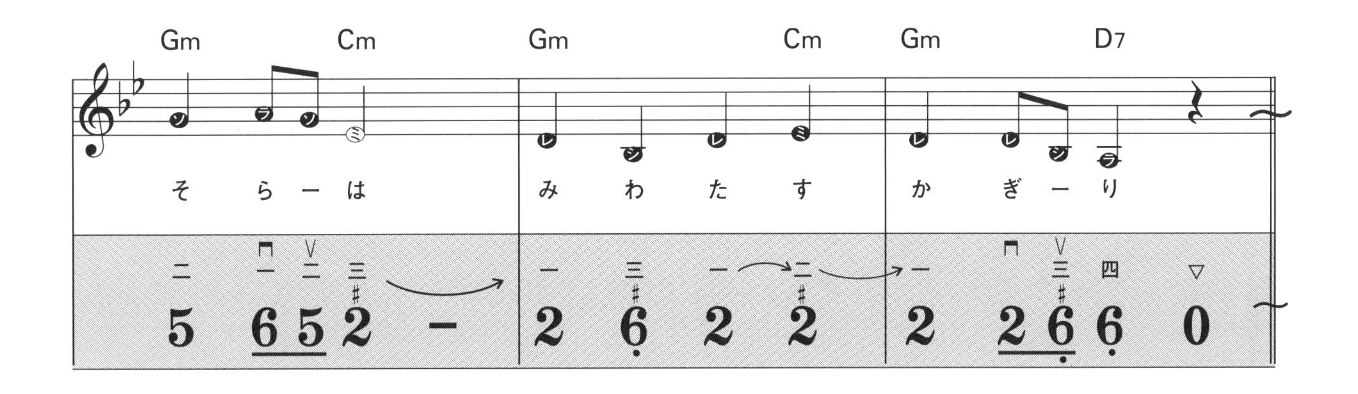

トレモロ

実践編

「**向こう弾き**」と「**手前弾き**」を組み合わせて**繰り返しながら**、すばやく連続して撥弦します。これを、**トレモロ奏法**と言います。楽曲の**盛り上げ部分**や**繰り返しの部分**、流れるような**美しいメロディー部分**などにトレモロ奏法を使うことがあります。

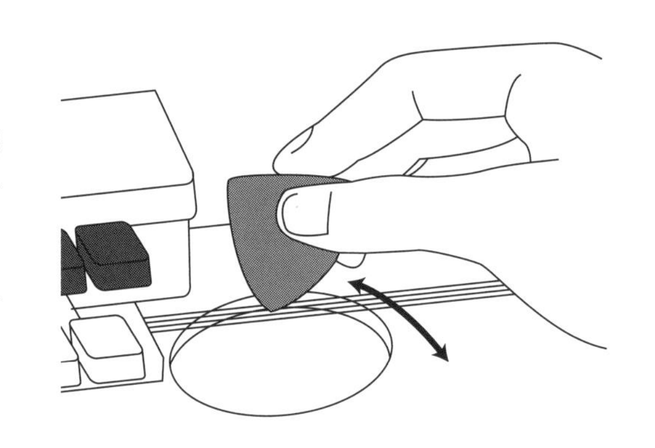

奏法は、ピックの**角度を真直ぐ**に立てたまま、手首を細かく動かしながら左右に急速に振り撥弦します。４本の弦の上を**滑らせるように軽やかに**弾きましょう。

数字譜では、「*tr*〰〰」や「Tr〰〰」と表記します。

「星に願いを」より

L. Harline：作曲　島村葉二：日本語詞

WHEN YOU WISH UPON A STAR
Words by Ned Washington
Music by Leigh Harline

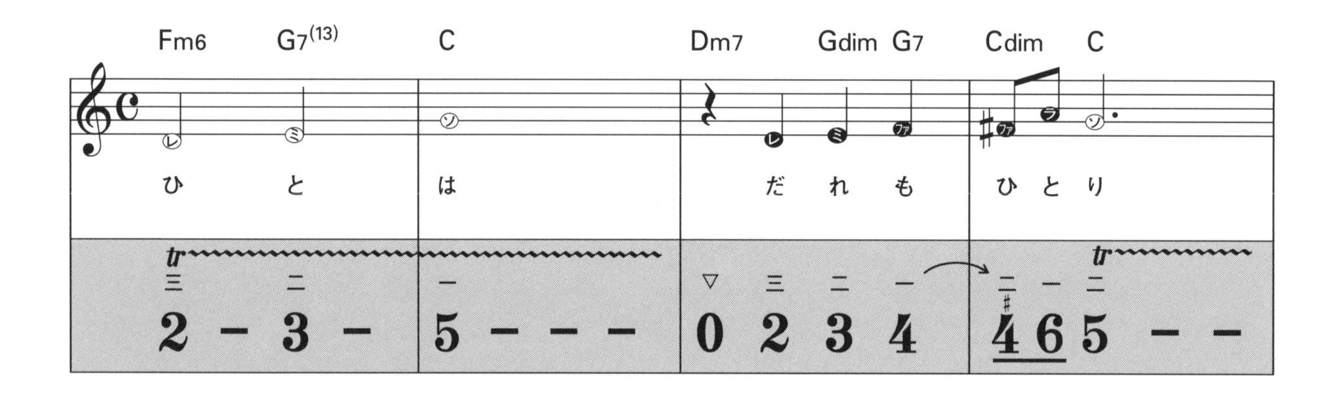

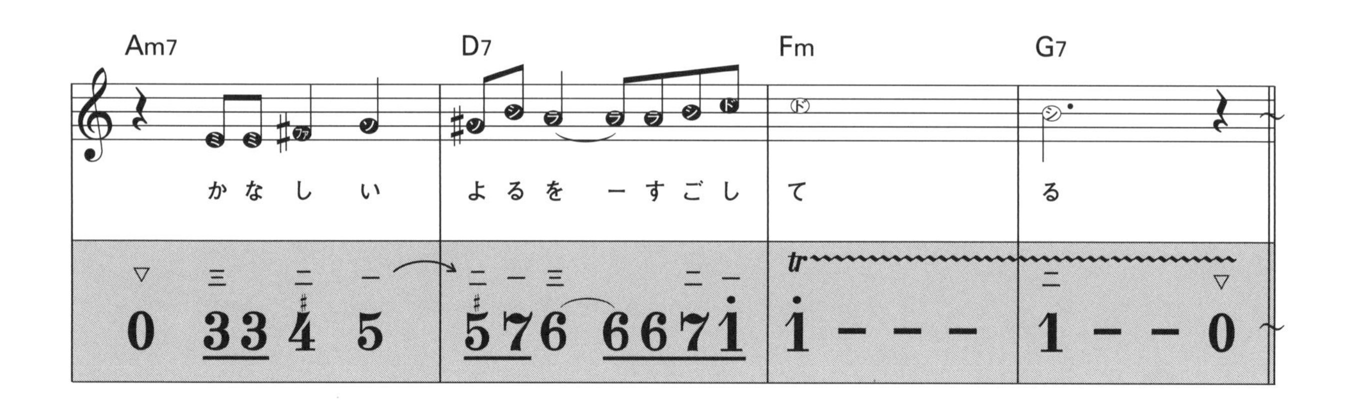

スラー弾き

実践編

2音以上の**音を滑らかにつなげて**弾く方法です。基本的には、右手で1度撥弦し、その音の**余韻があるうちに次のキー**を素早く押す奏法です。別名、余韻（よいん）弾きともいいます。通常、8分音符や16分音符などが連続して出てくるテンポの速い楽曲に使われます。

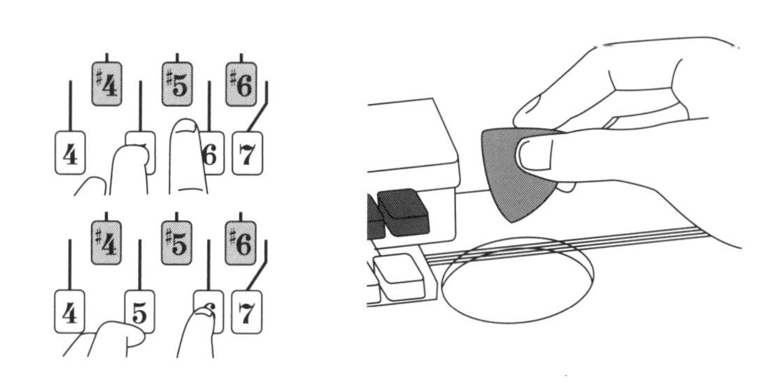

数字譜では、2つの数字にまたがって「5　4」、「3　2」などと「⌒」を付加します。

ぶんぶんぶん

村野四郎：訳詞／ボヘミヤ民謡

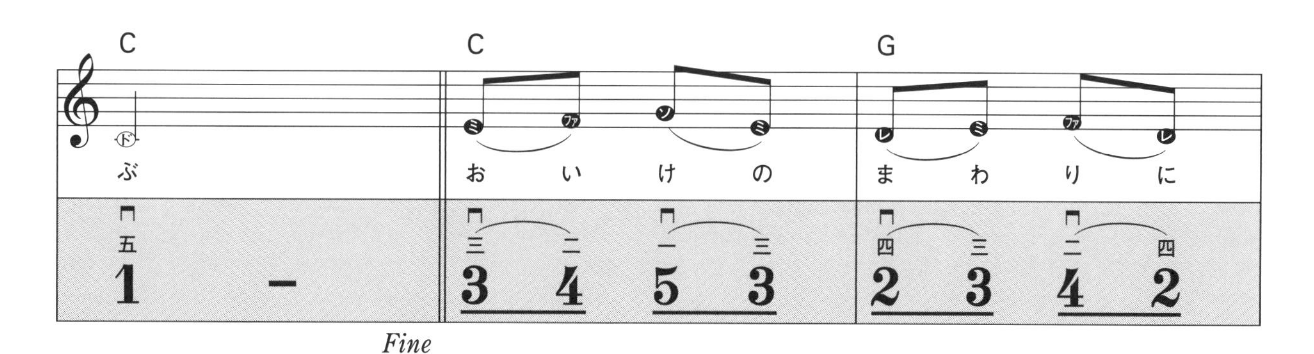

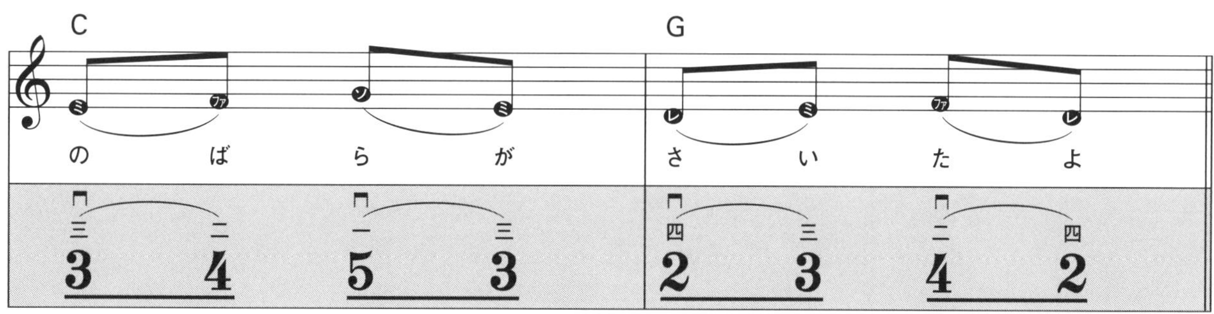

一本返し

実践編

長い音符や休符の間を持続させるための奏法で、これを**一本返し**（いっぽんがえし）といいます。楽曲の途中で、軽く薄い音を入れたい場合や、その楽曲のリズムをはっきりさせる効果もあります。別名「**間の返し**（まのかえし）」ともいいます。

奏法は、一番外側の**第１弦のみ**を、ピックで軽く外側からすくい上げて撥弦します。

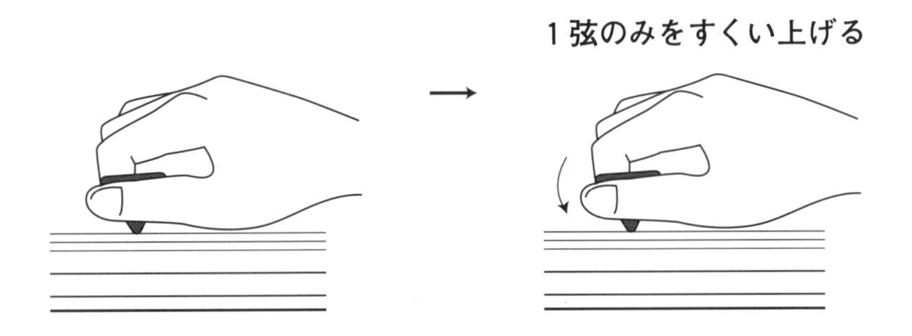

数字譜では、音の長さを表す線「—」の**上に**、「 ∀ 」の記号を付加します。つまり、**音をのばしている間**「— — —」に「 ∀ 」を入れます。

休符には入りません。消音記号「 ▽ 」と間違えやすいので、注意しましょう。

さくら さくら

日本古謡

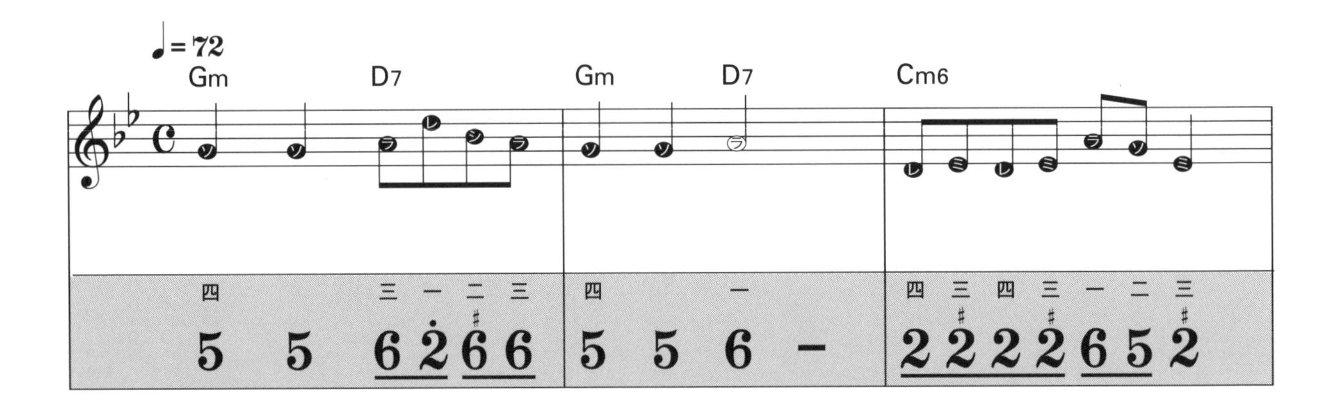

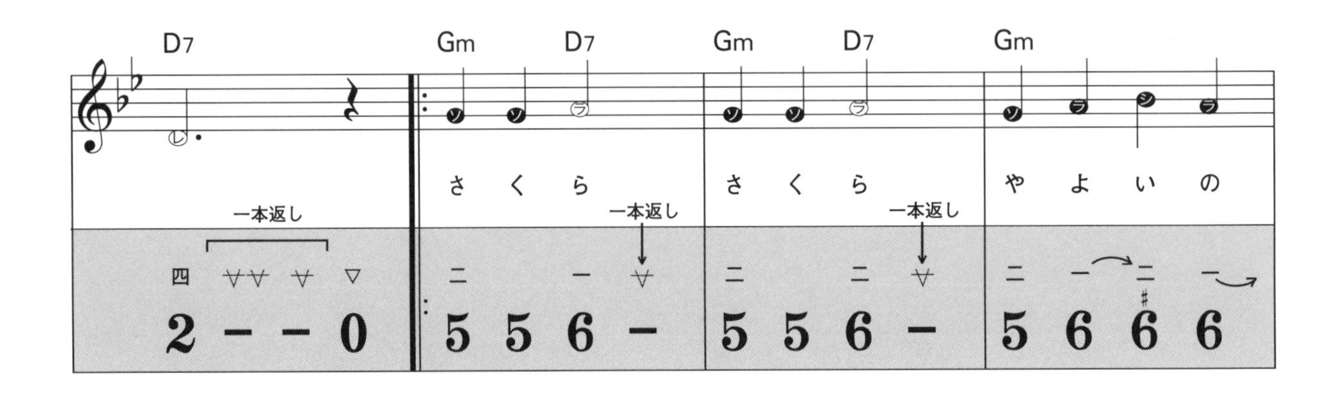

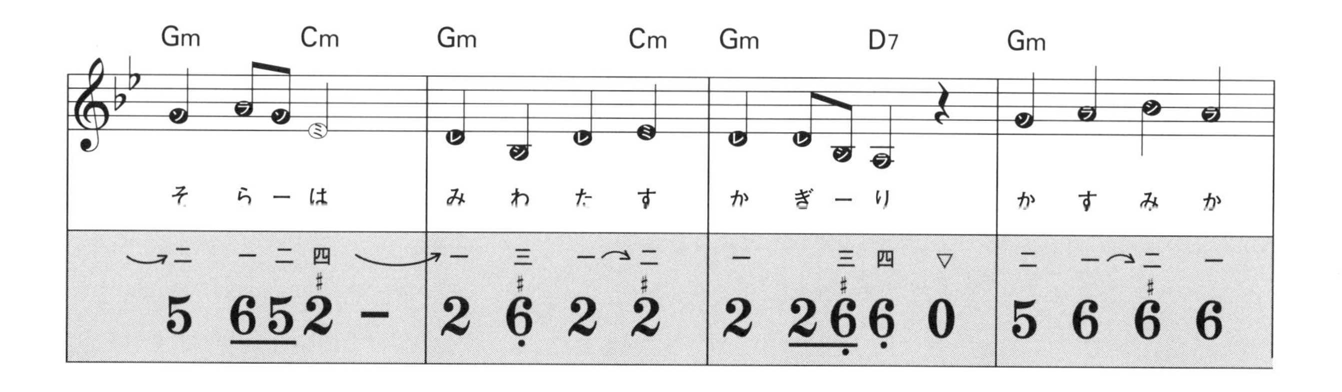

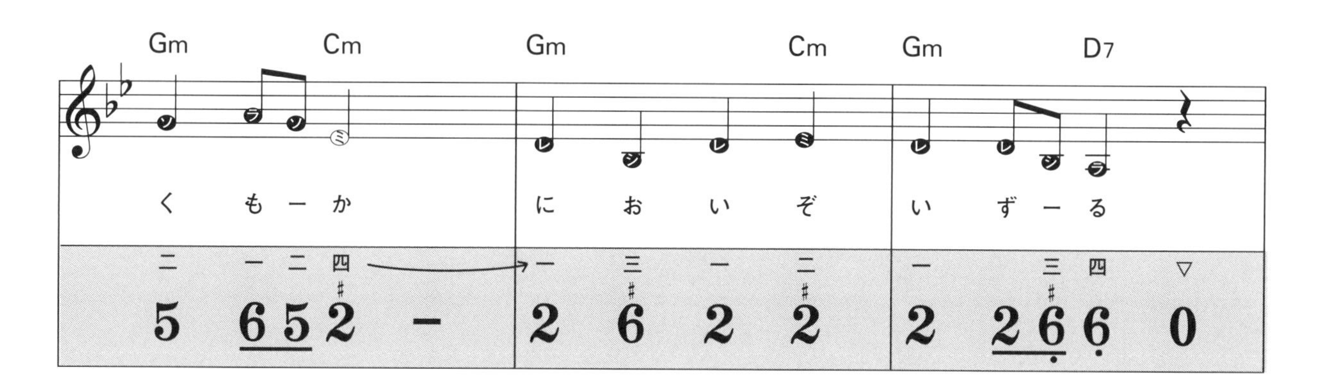

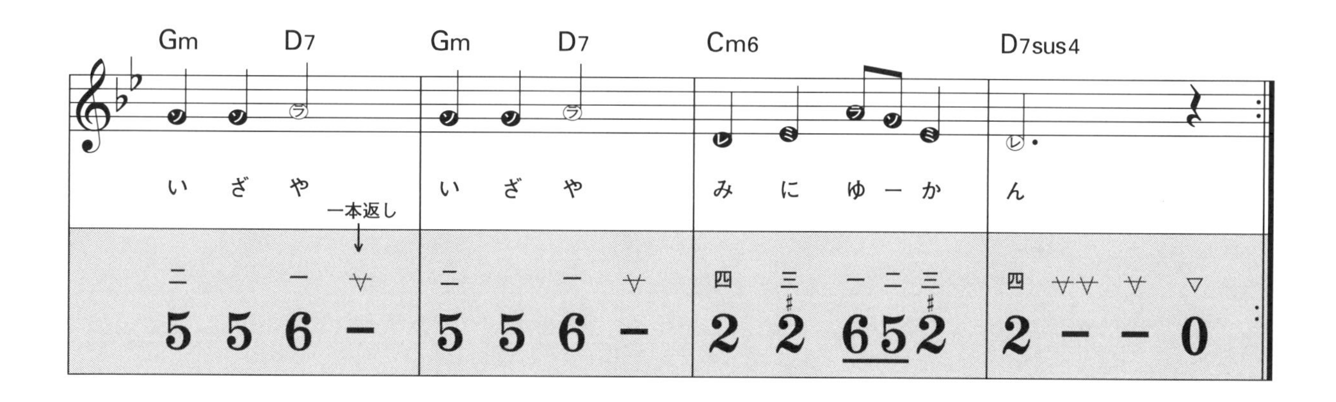

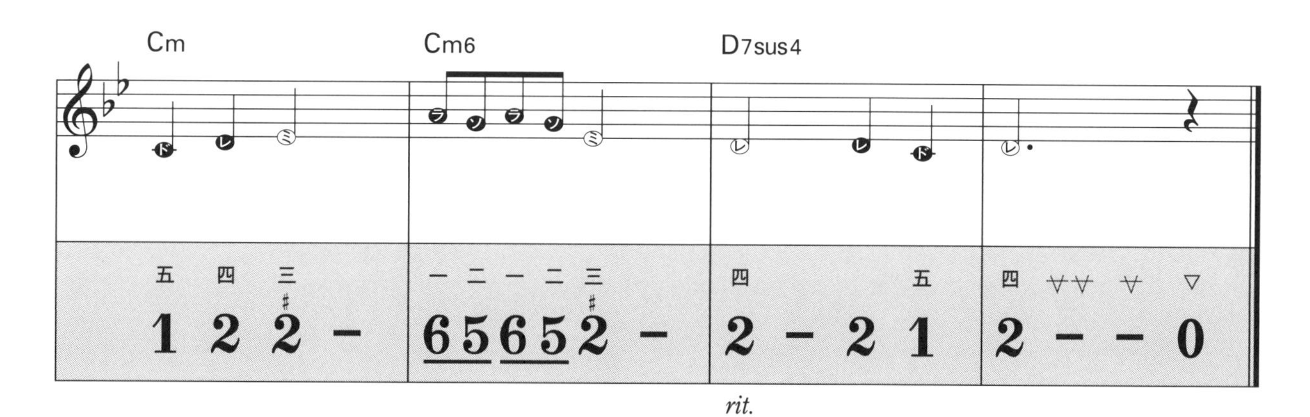

前ページの４小節目に、最初の一本返しが出てきますが、これは「２（レ）」のキーを**押さえたまま**、その後はピックで**第１弦を軽くすくい上げ**ます。他も同様に弾きましょう。

また、「∀∀」は、一本返しを**１拍の中で２回**入れます。つまり、♩＝♫と同じリズムになり、１拍の中で８分音符を２回撥弦します。

タイ

実践編

同じ高さの音同士を結んだ曲線を**タイ**といいます。タイで結ばれた次の音は**弾き直しせずに**、音符の長さ分そのまま延ばします。

(「河は呼んでる」より／水野汀子：訳詞　G.Beart：作曲)

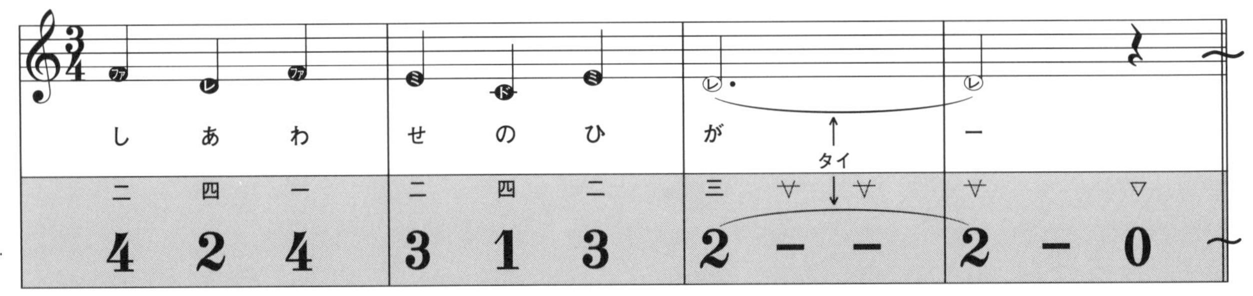

「レ(2)」の音を弾いたら、そのまま4拍のばす

この場合は、3小節目と4小節目の「レ（2）」の音がタイで結ばれていますので、3小節目の「レ（2）」を弾いたら、その後は4拍のばします。

次の楽曲で、タイの間に“間(あい)の手”として一本返しを入れてみましょう。

河は呼んでる　水野汀子：訳詞／G.Beart：作曲

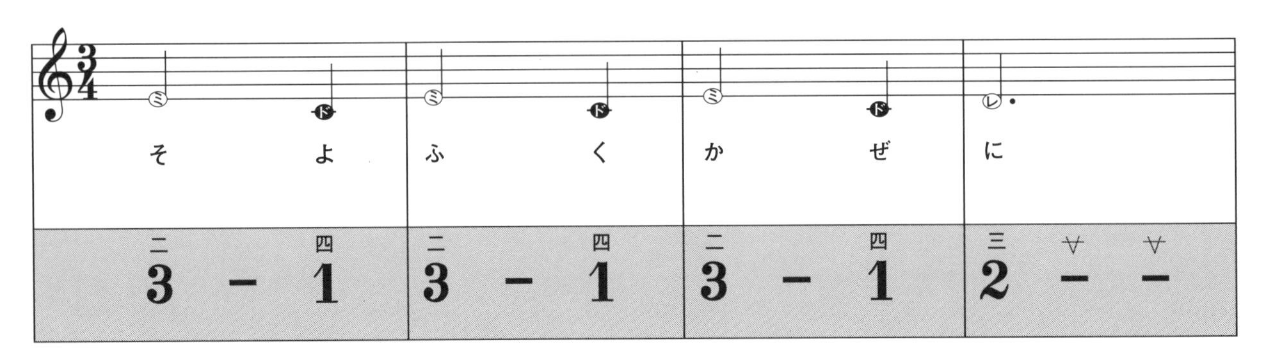

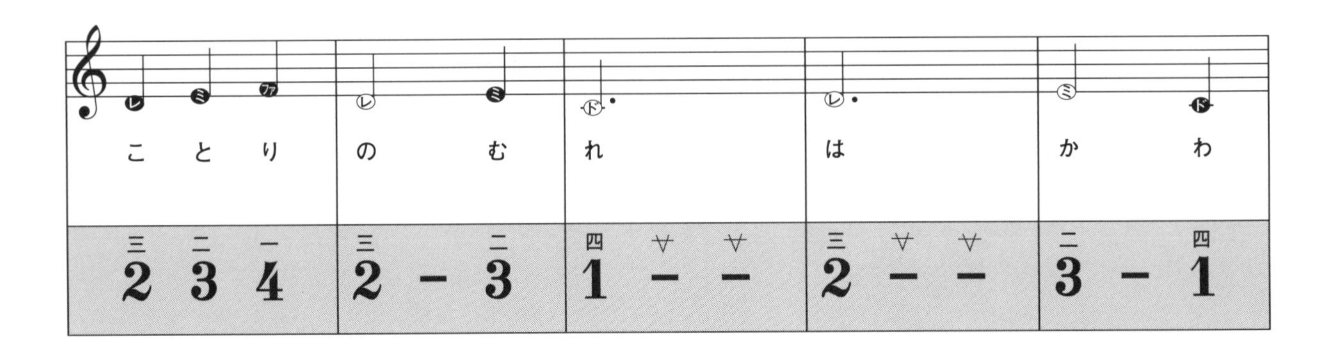

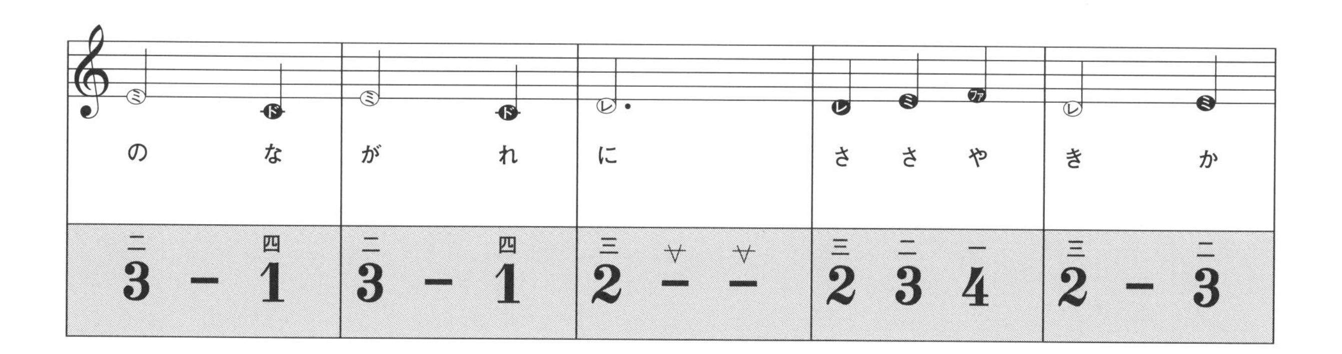
の な が れ に さ さ や き か
二 四 二 四 三 三 二 一 三 二
3 – 1 3 – 1 2 – – 2 3 4 2 – 3

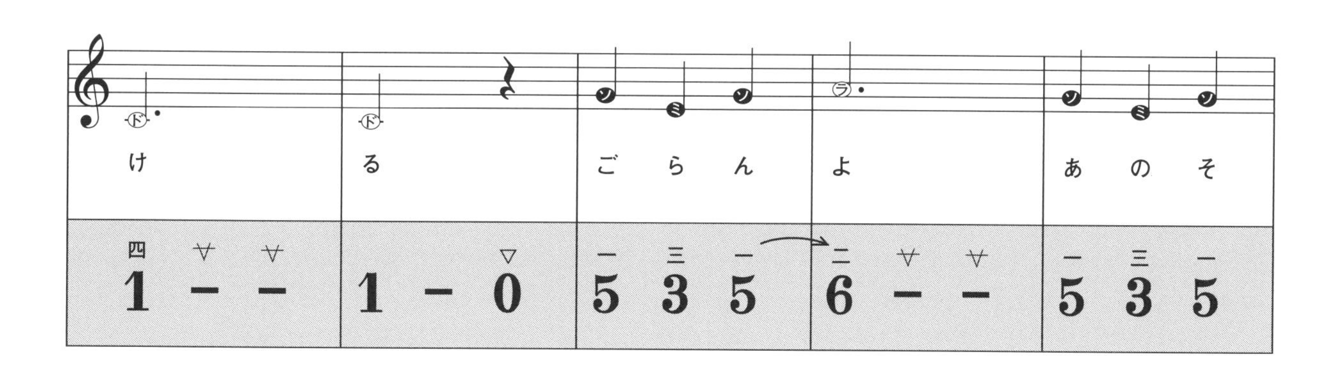
け る ご ら ん よ あ の そ
四 一 三 一 二 一 三 一
1 – – 1 – 0 5 3 5 6 – – 5 3 5

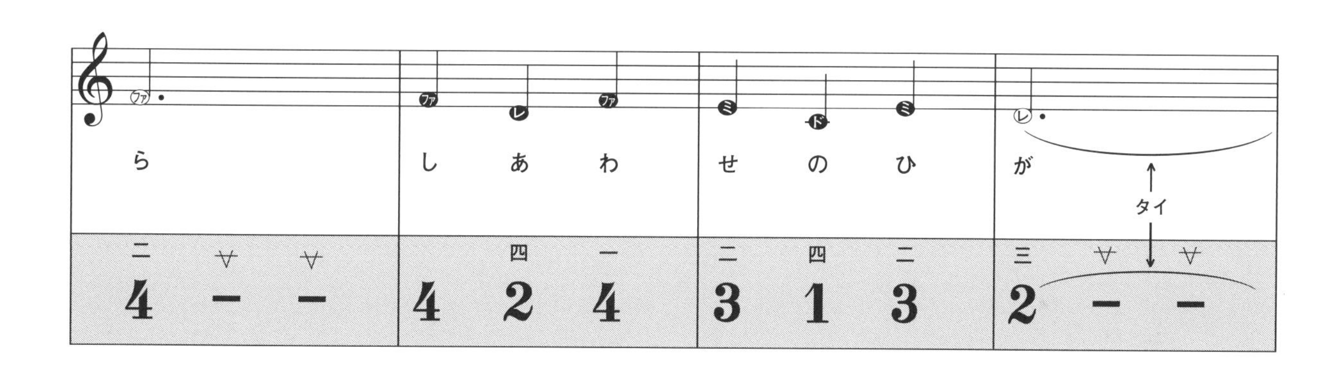
ら し あ わ せ の ひ が
タイ
二 四 一 二 四 二 三
4 – – 4 2 4 3 1 3 2 – –

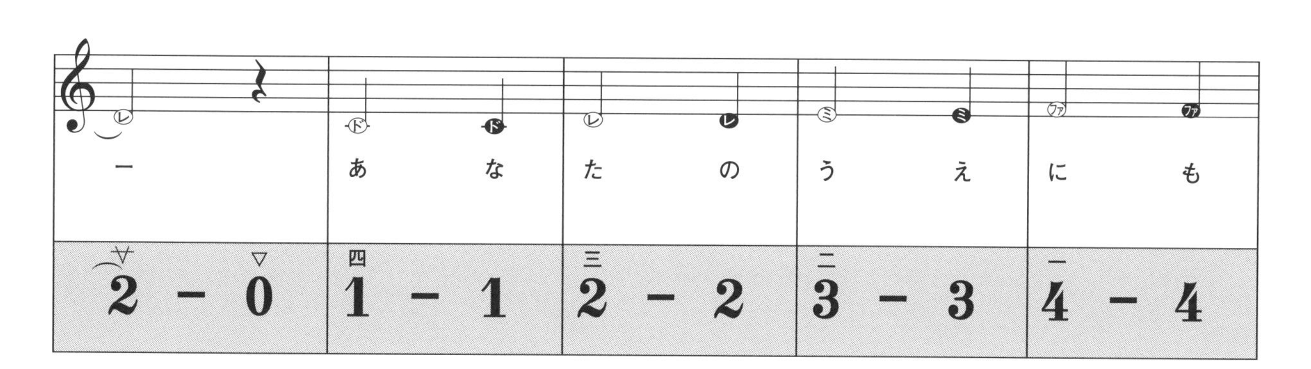
ー あ な た の う え に も
四 三 二 一
2 – 0 1 – 1 2 – 2 3 – 3 4 – 4

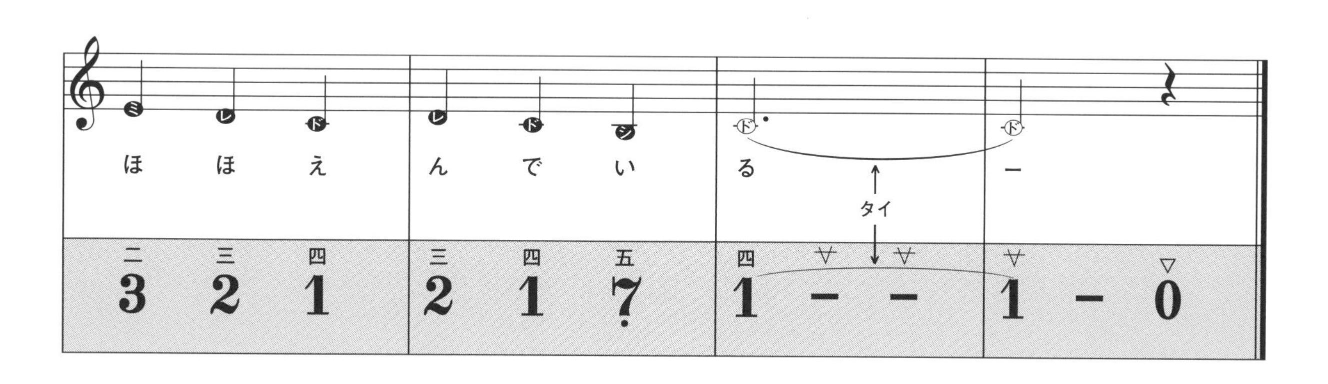
ほ ほ え ん で い る ー
タイ
二 三 四 三 四 五 四
3 2 1 2 1 7 1 – – 1 – 0

その他の奏法

実践編

連続する時は...

同じ音を連続して弾く場合は、左手のキーは**押さえたまま**、**右手のみリズムに合わせて**弦を弾きましょう。

(「ABCの歌」より／フランス民謡)

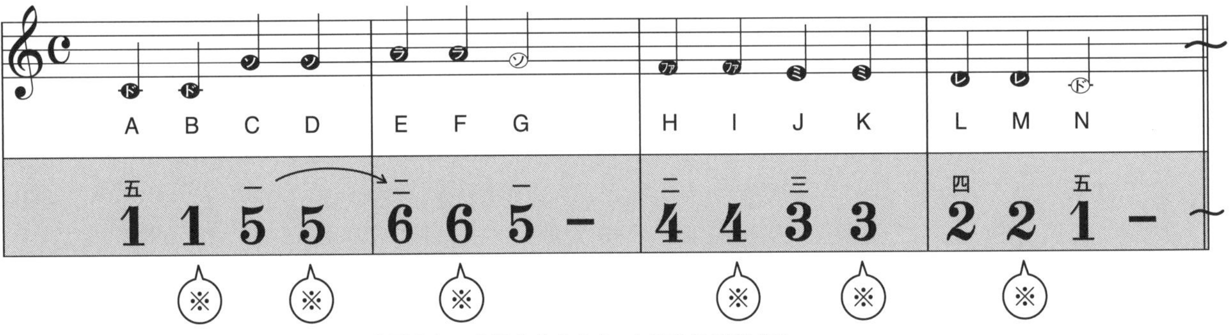

※左手のキーを押さえたまま、右手のみ撥弦する

跳躍する時は...

音の間が跳躍する時は運指がスムーズに運べるよう、次に弾くキーの指は**早めに準備**しましょう。跳躍したその音に来てからキーを押すと、テンポに乗り遅れます。

(「ABCの歌」より／フランス民謡)

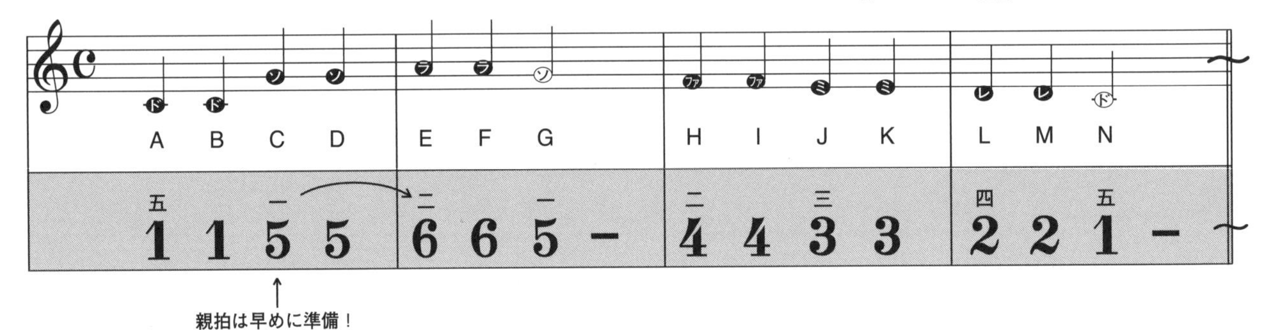

冒頭の「ド（1）」のキーに小指を置くと**同時**に、「ソ（5）」のキーにも親指を**置き**準備しましょう。

これは**開放弦**を弾く時も同じです。次に弾くキーの指は早めに準備しましょう。

ポイント 右手

左手の練習と同様に、弾く楽曲の**リズム・強弱・奏法**などを考えながら、左手を休めて、**右手のみに集中**して楽曲を練習することも大切です。美しい音を奏でるためには、**片手ずつの練習**は必須です！　楽曲の歌詞を口ずさみながら、リズムに合わせて右手のみで弾いてみましょう。

楽曲を弾いてみましょう。

涙そうそう

森山良子：作詞／BEGIN：作曲

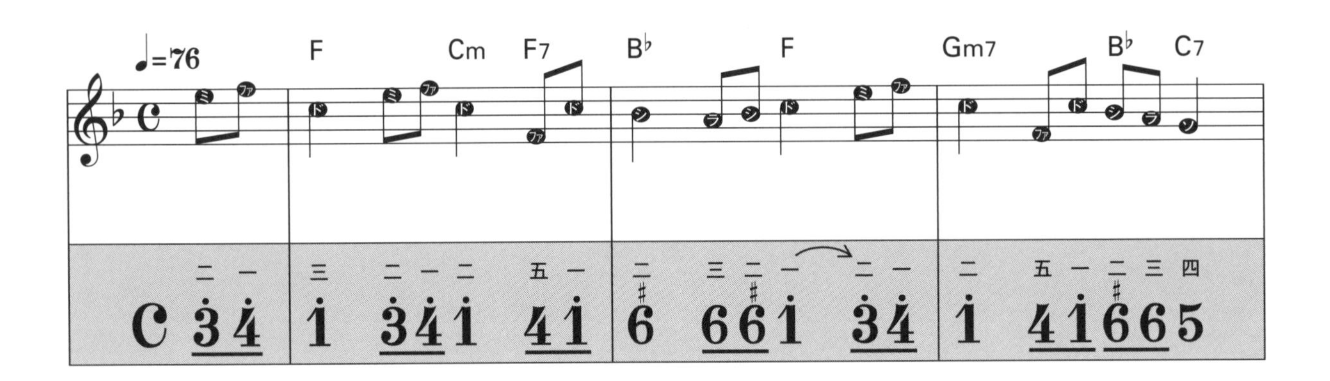

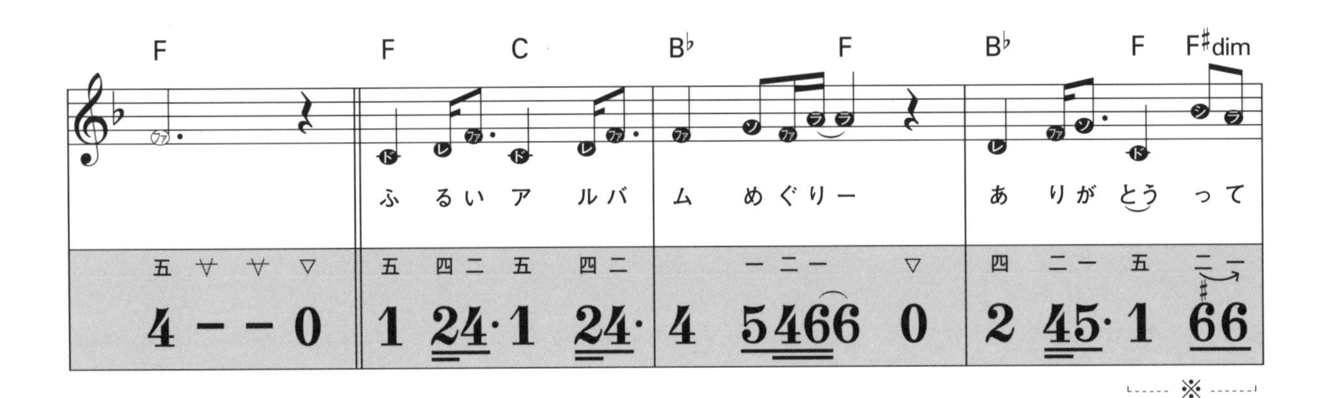

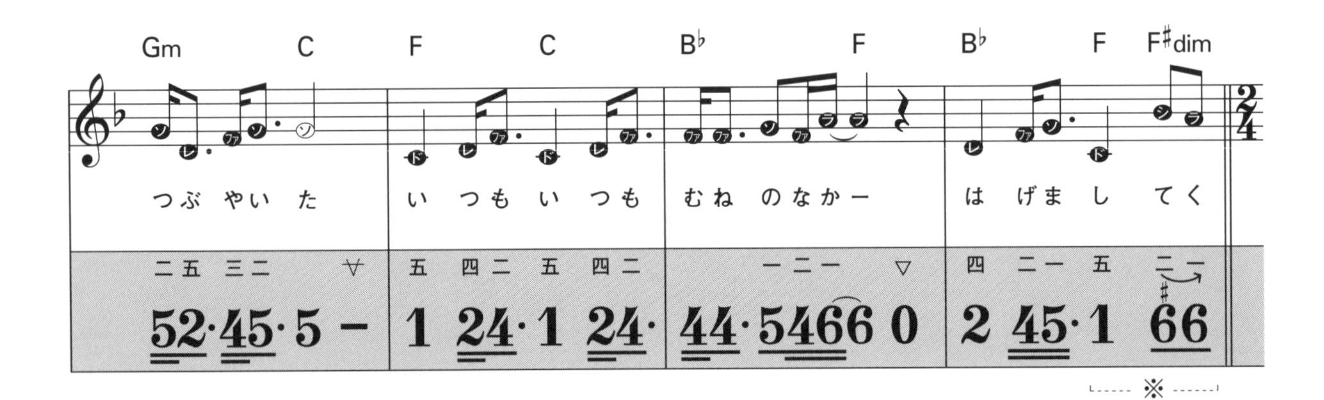

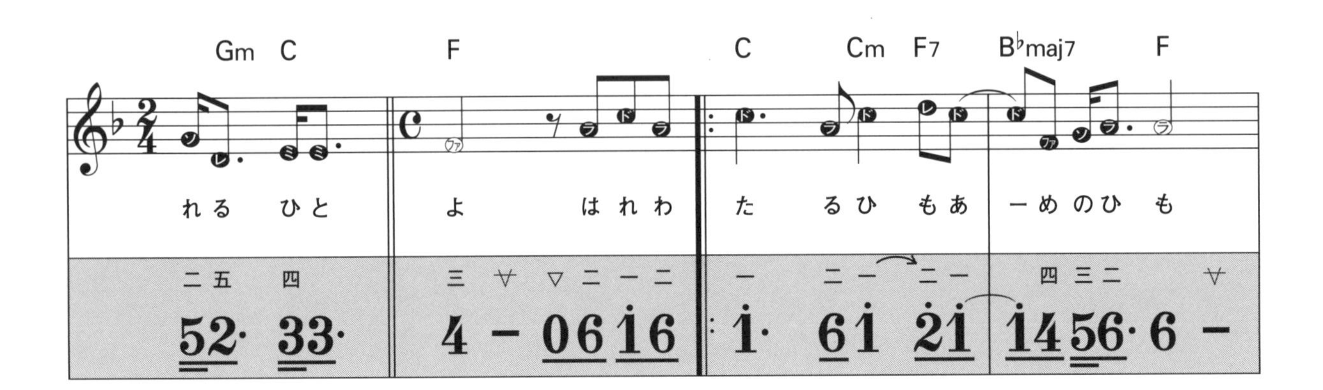

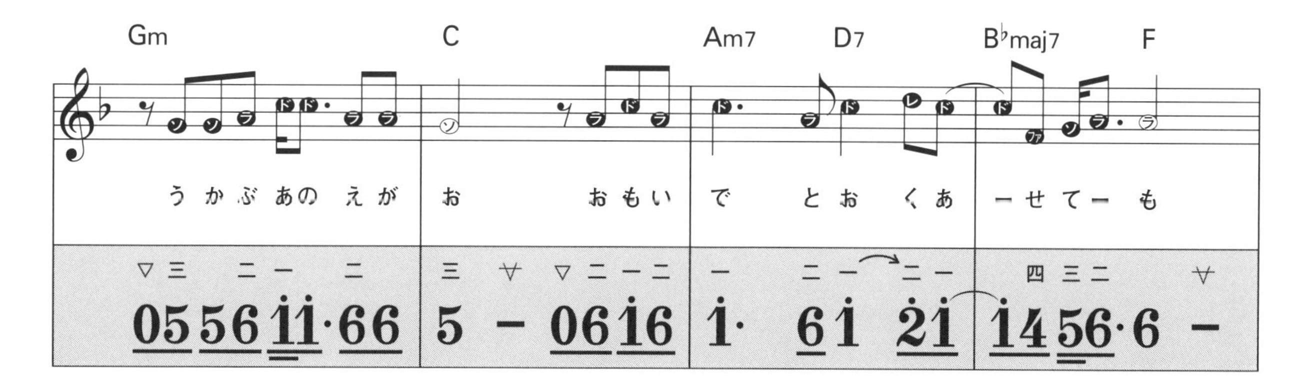

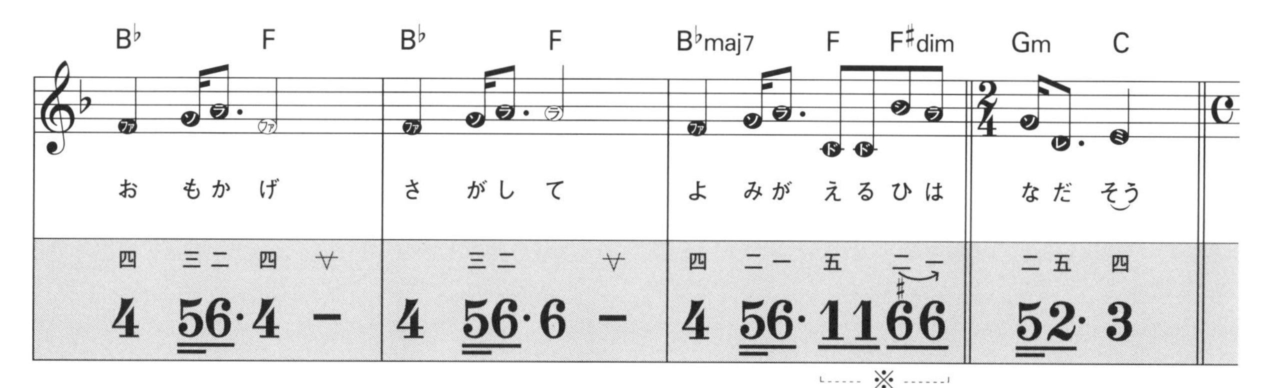

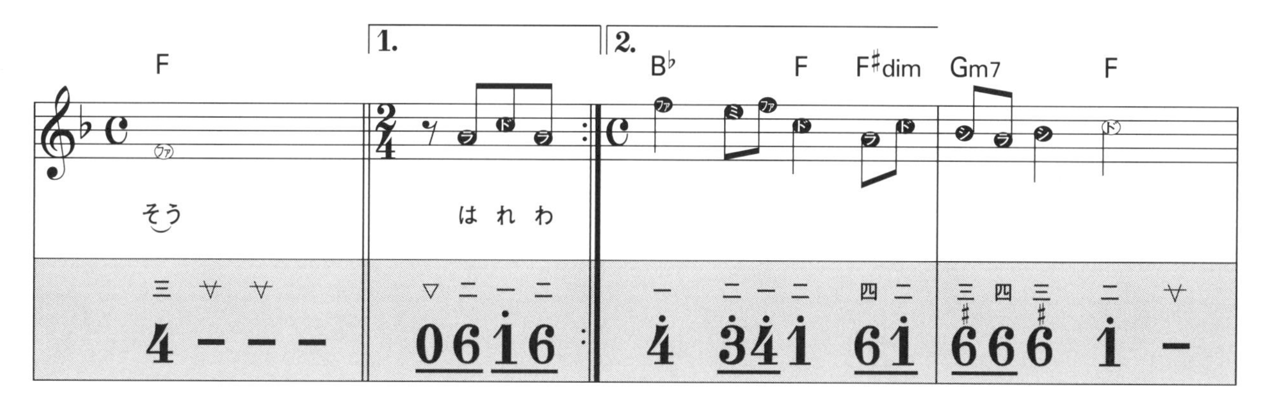

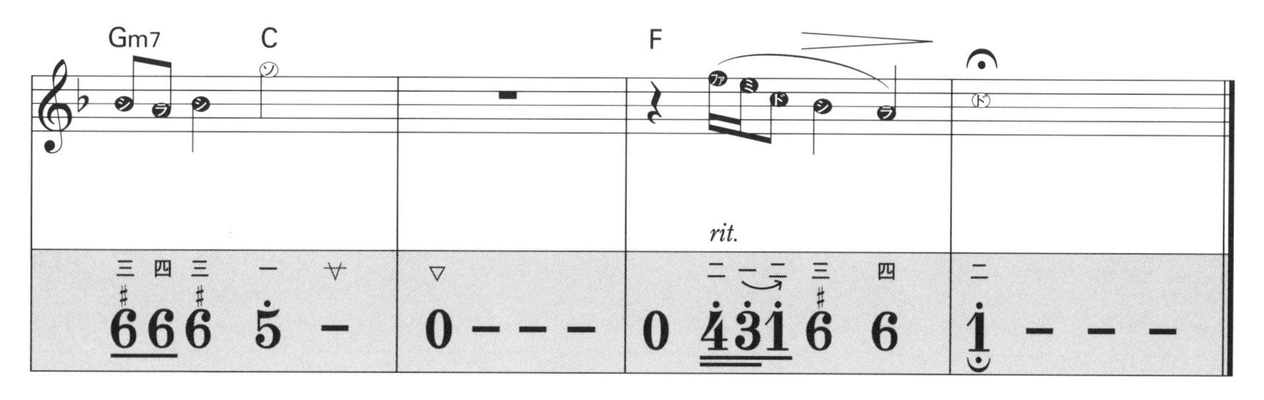

演奏のポイント

前奏・後奏の高音部の音程が下がらないように、しっかりキーを押さえましょう。

付点16分音符と8分音符をつなげた ♬./24· のリズムが特徴的です。このリズムは、2つの音をスラー弾きで弾きましょう。慣れてくると、楽曲全体のリズムの特徴がよくつかめてくるでしょう。

※印の3回出てくる、1 66 は、音が跳躍しています。指が届かない場合は、1 6 6 と指替えして弾きましょう。

千の風になって

作詞者不祥／新井 満：訳詞・作曲

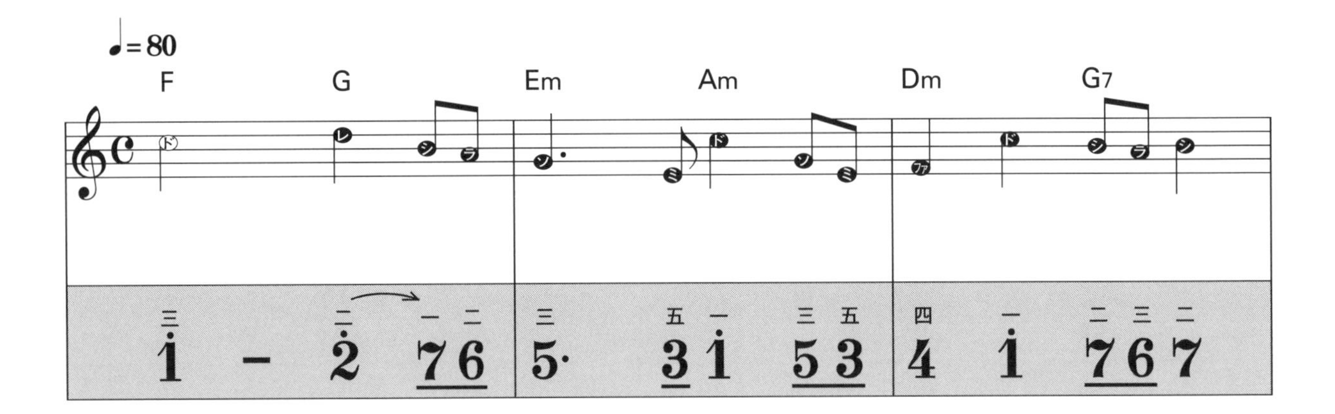

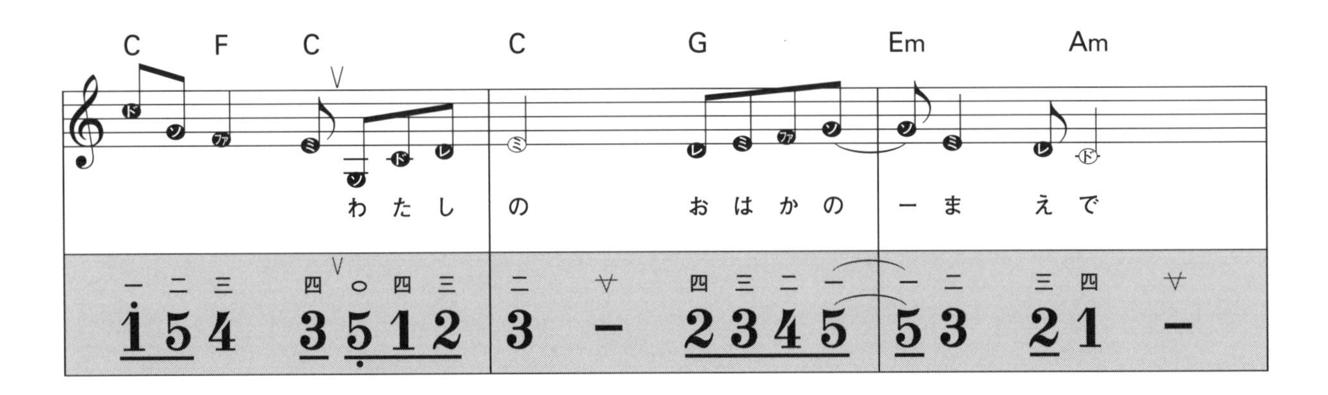

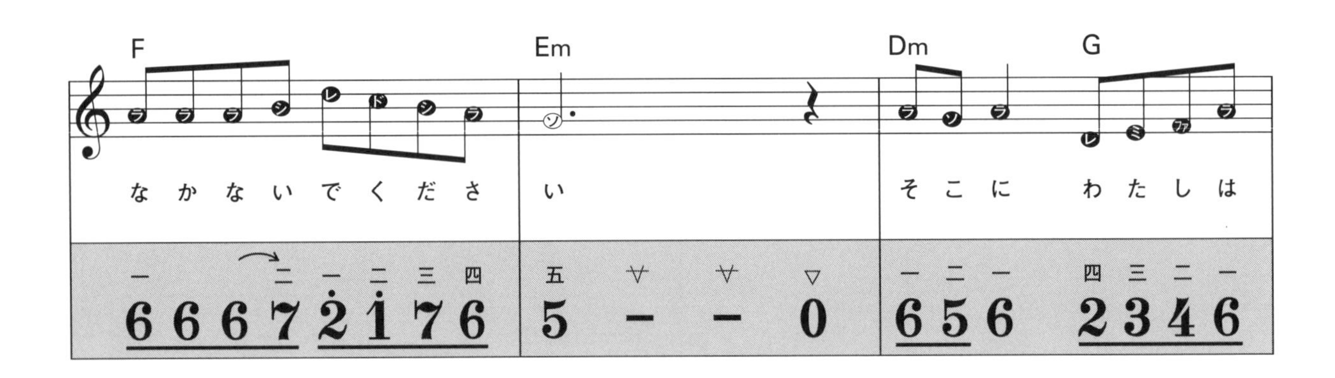

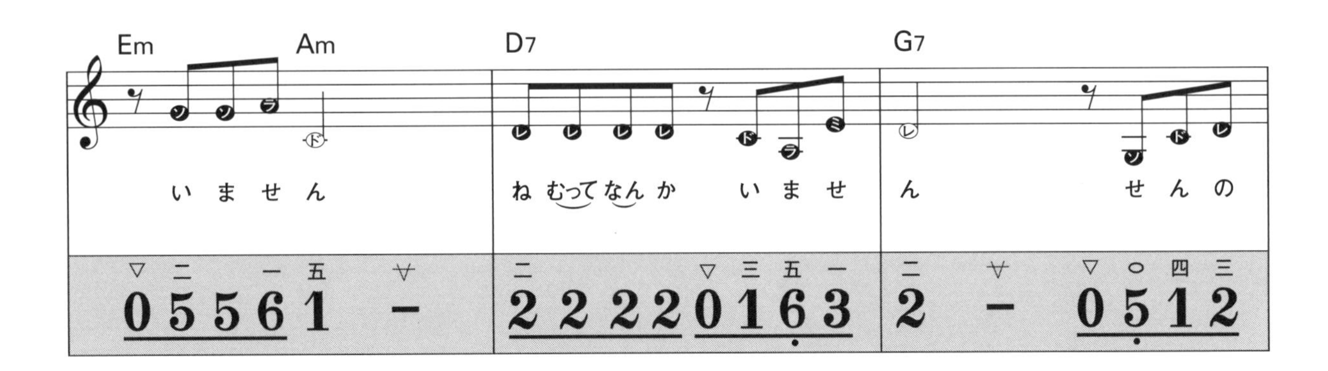

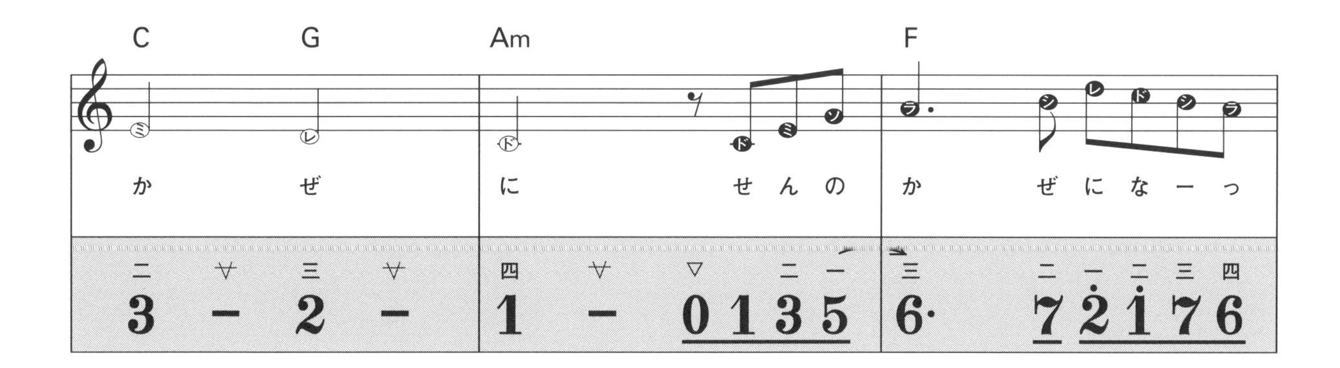

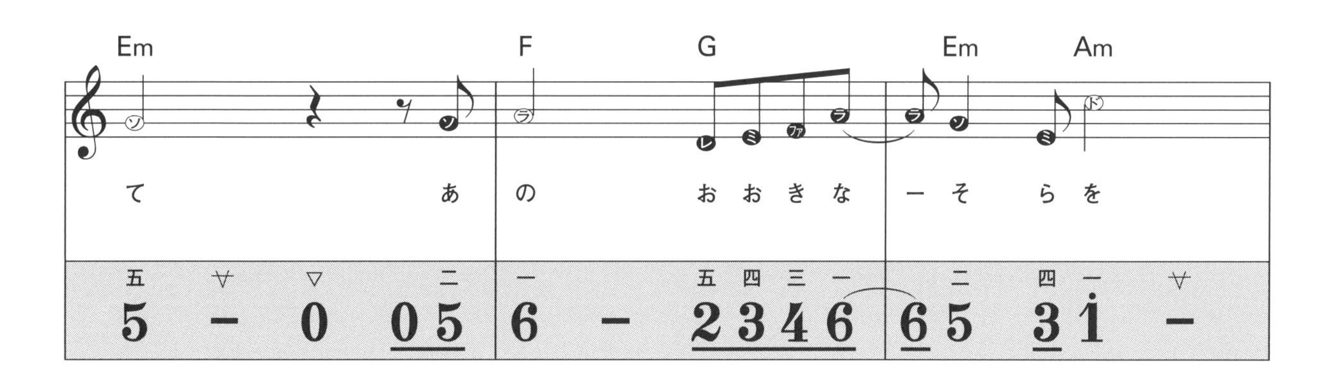

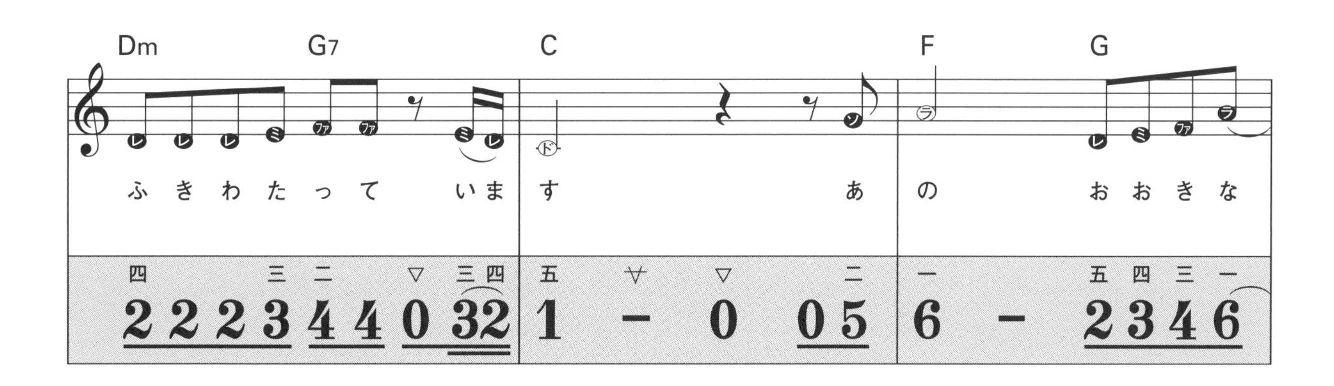

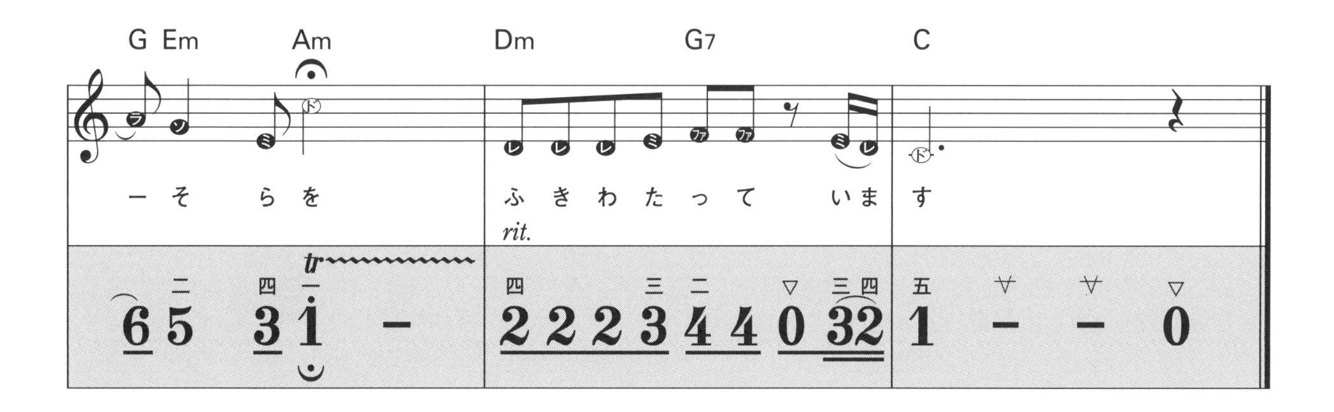

演奏のポイント

NHK紅白歌合戦にて、テノール歌手の秋川雅史さんが歌って以来、有名曲となりました。歌いやすく、弾きやすいメロディーです。最後の段の 𝄐 や、*rit.*の記号をよく見て弾きましょう。

チョップスティックス

Arthur De Lulli：作曲／泉田由美子：編曲

～「スティック弾き」をしましょう～

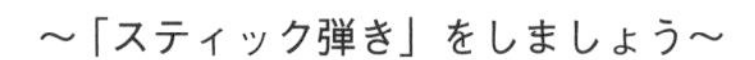

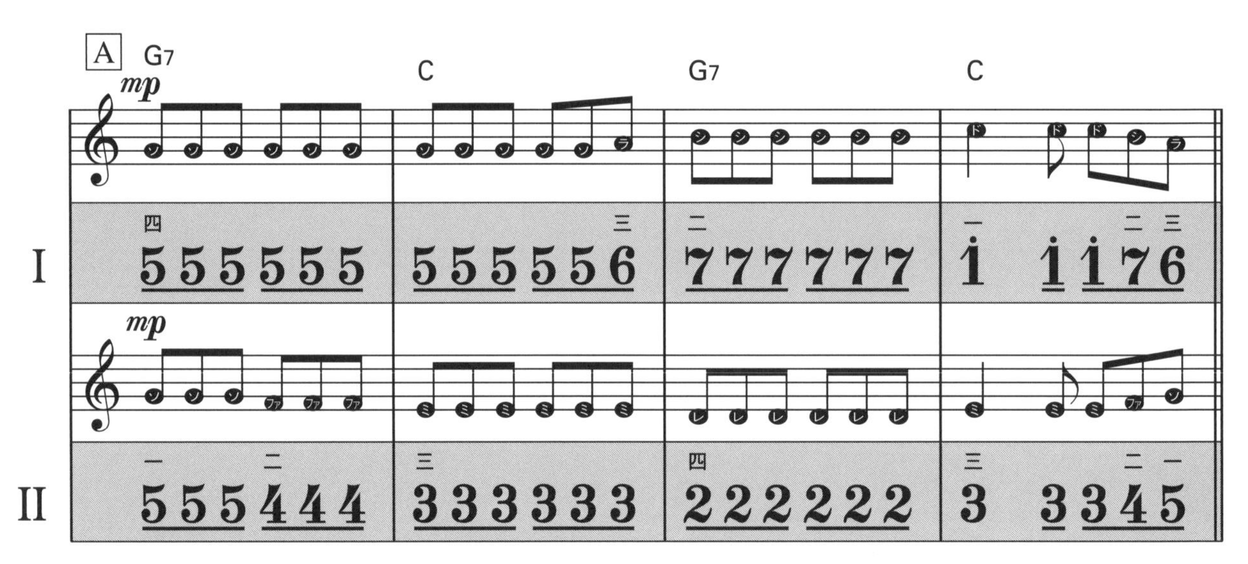

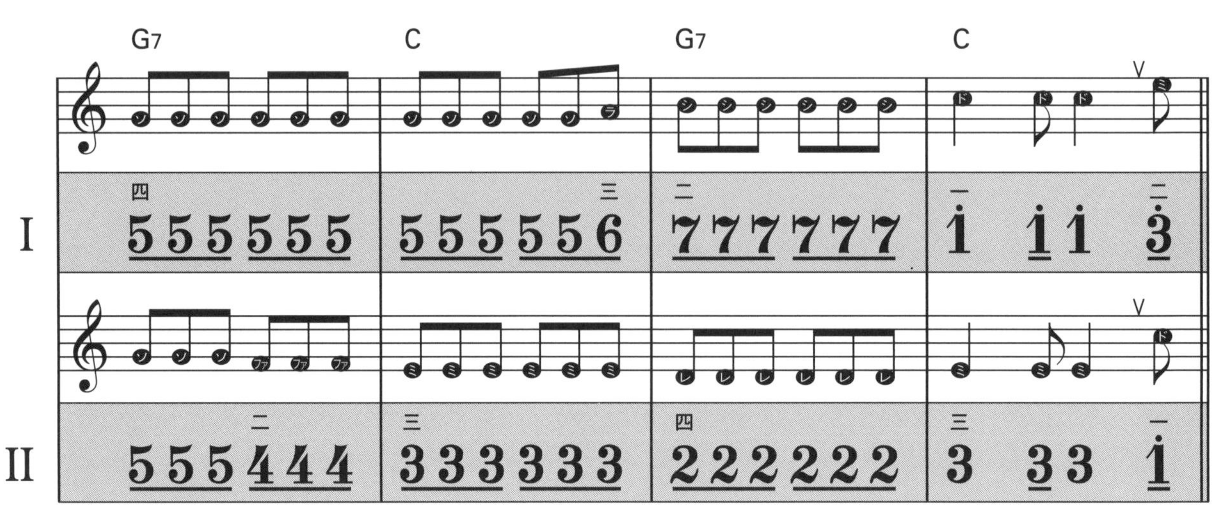

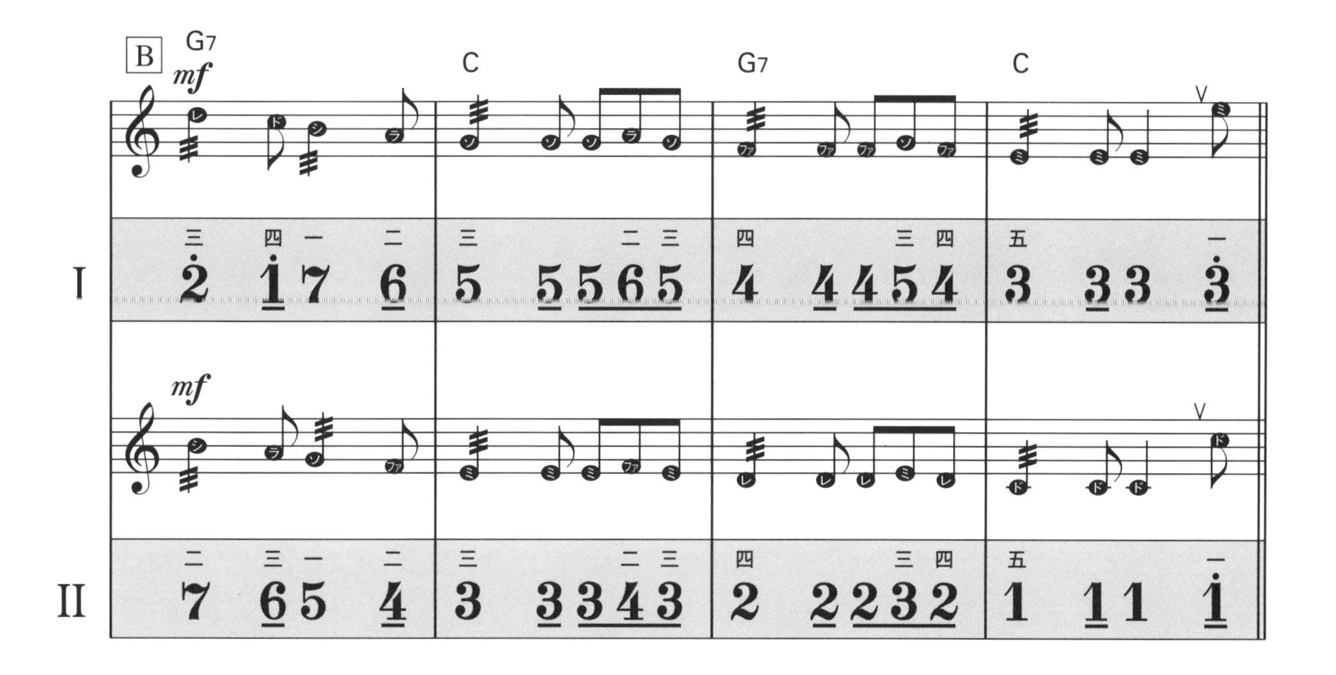
B
G7
mf
C
G7
C
I
mf
II

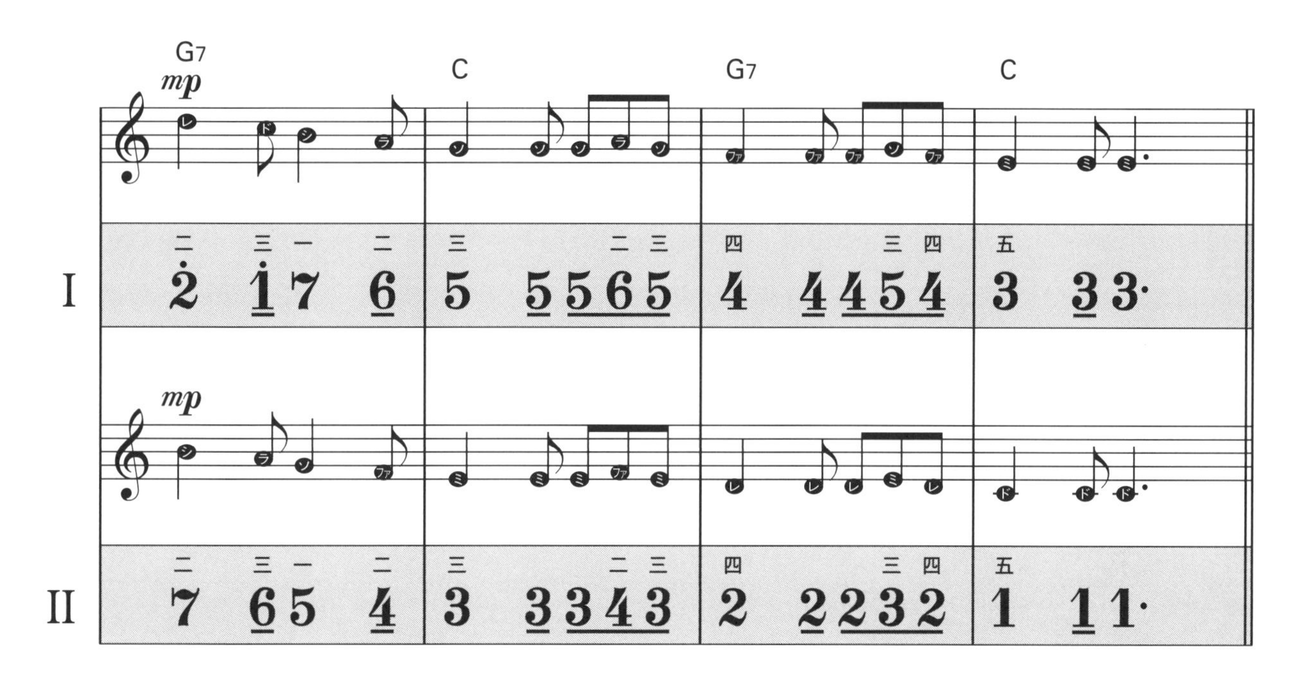
G7
mp
C
G7
C
I
mp
II

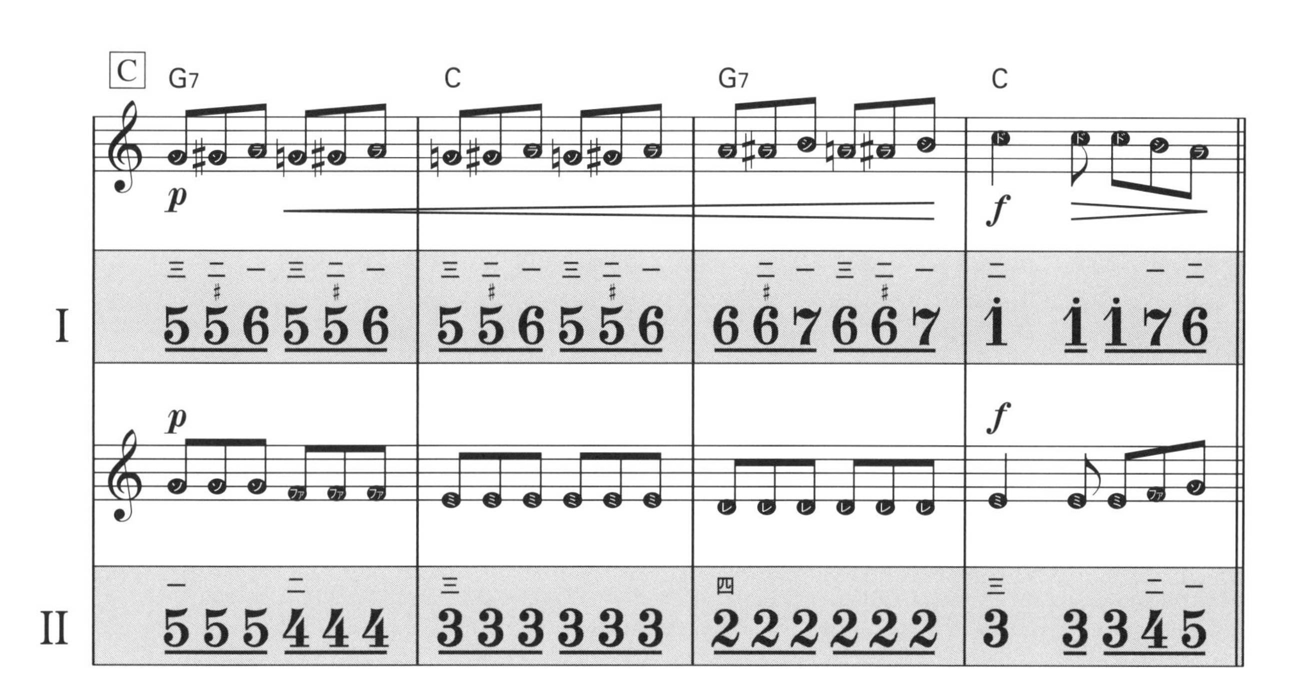
C
G7
p
C
G7
C
f
I
p
f
II

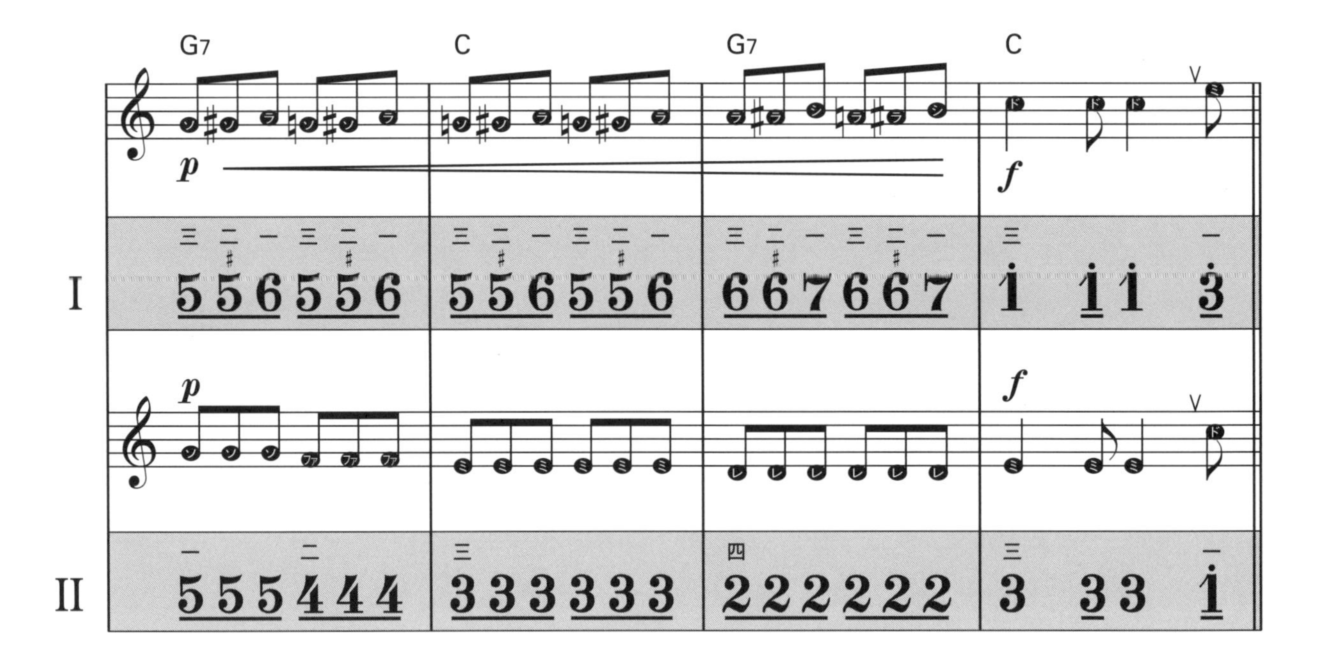
G7
C
G7
C
I
II

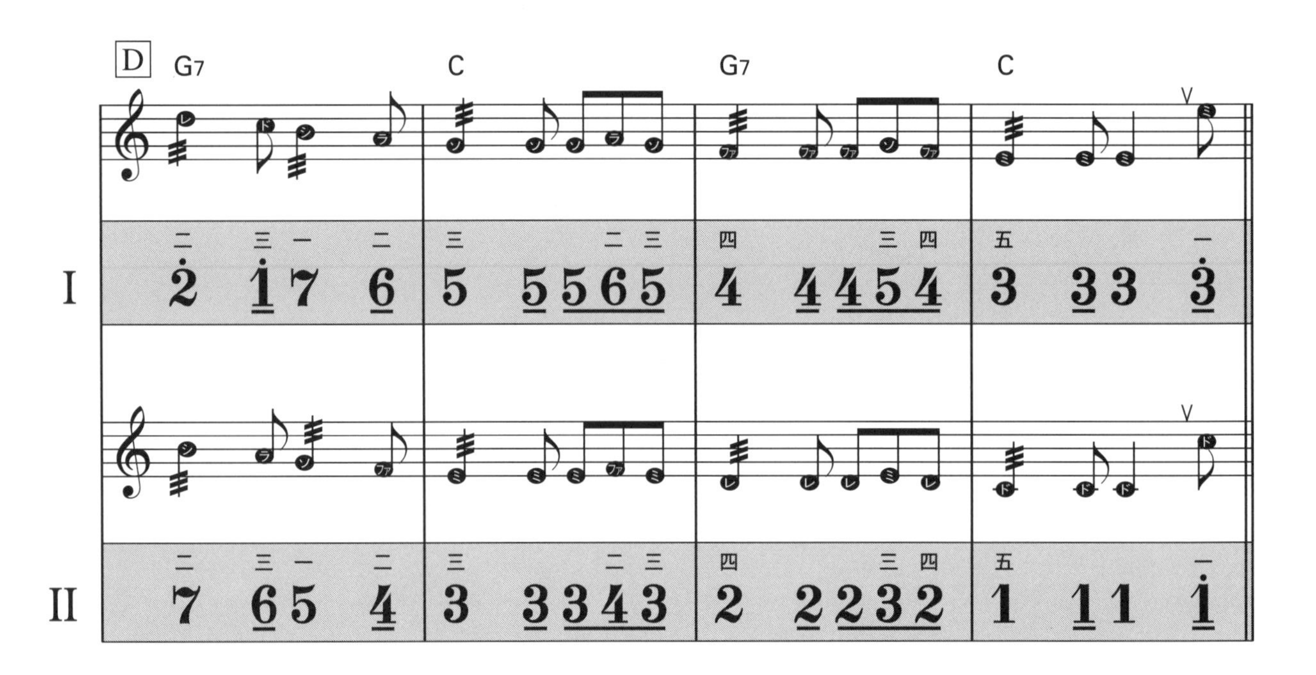
D
G7
C
G7
C
I
II

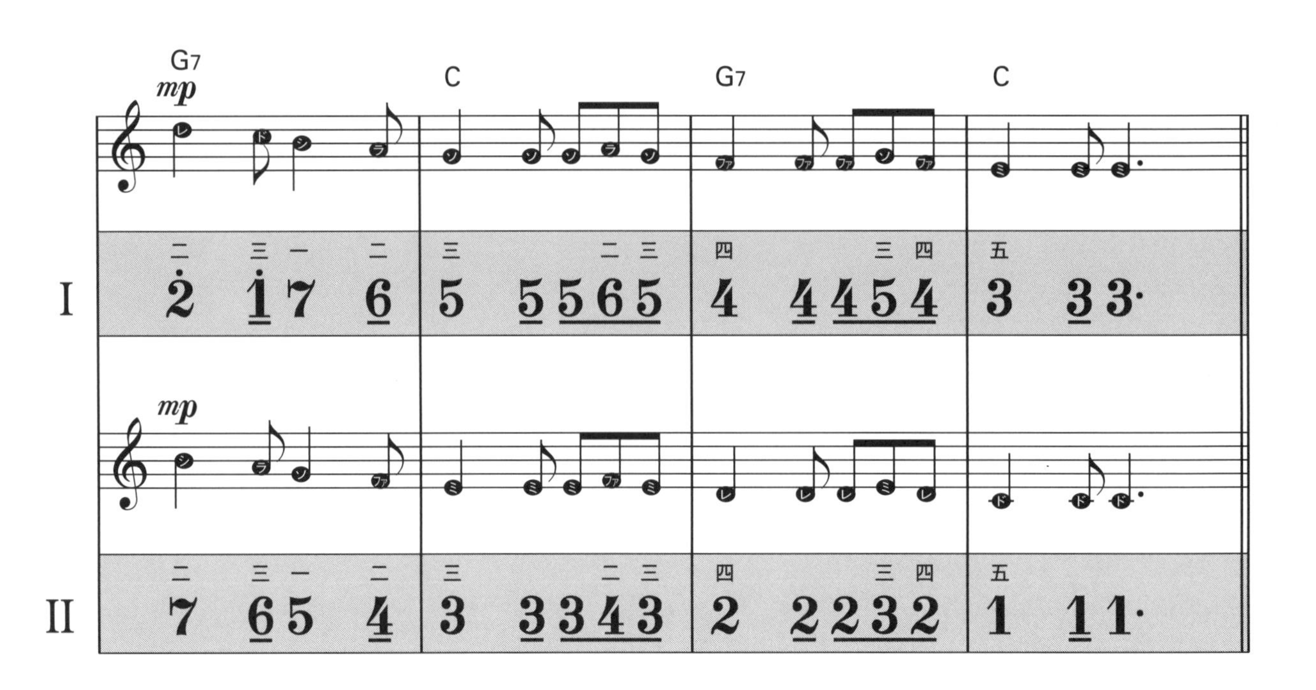
G7
C
G7
C
I
II

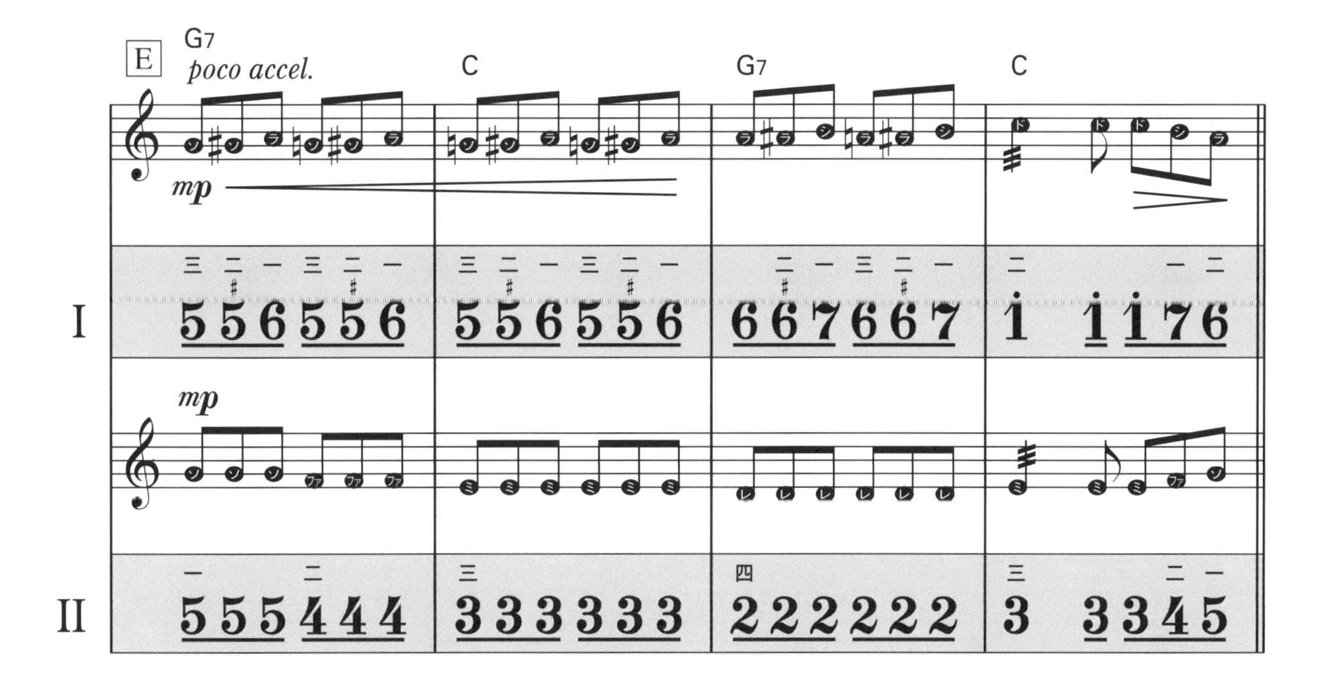

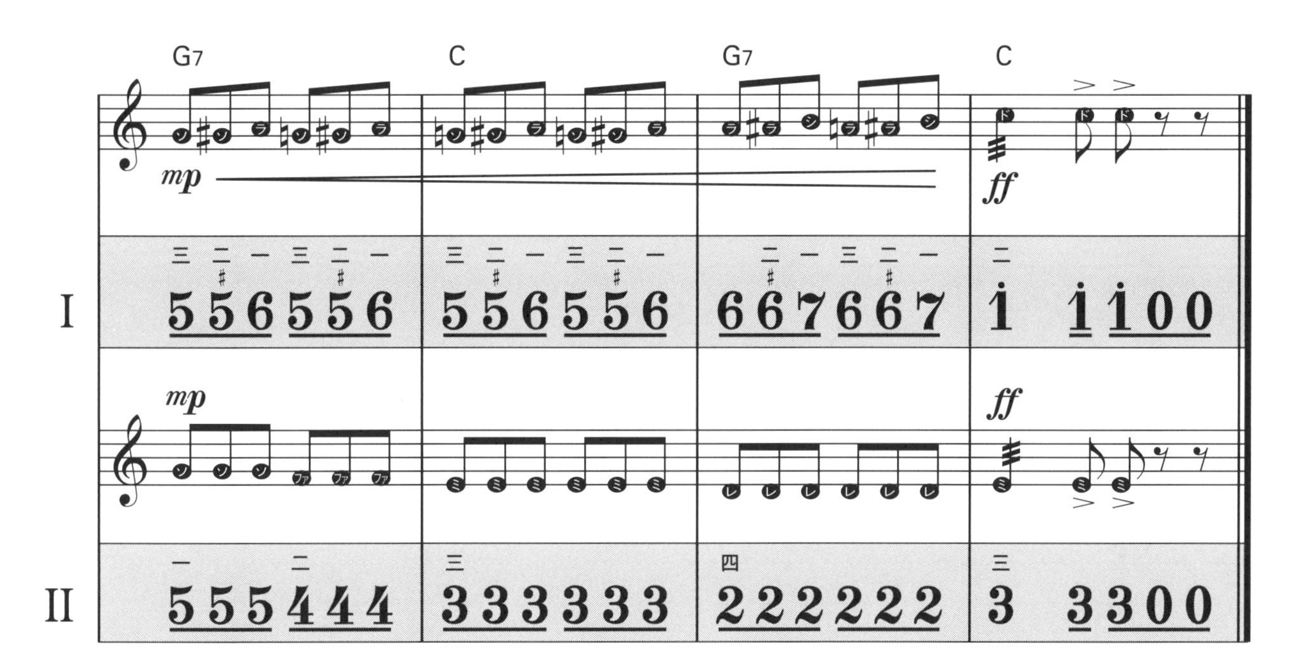

演奏のポイント

日本では、「トトトのうた」と言う題名で「NHKみんなのうた」にも紹介されました。とても楽しい歌詞を阪田寛夫氏が作詞しています。
本書のP.29に「こらむ　ステック弾き」が書いてありますので、演奏の参考にしてください。スティックは、鉛筆のように「均一の太さの棒」ではなく、お箸のように「先端が太い～細い」状態のものの方が使いやすいです。
次の譜例の部分は、スティックを「少し高めから強め」に叩き、その反動で連打する「トレモロ」のように弾いてください。「ピック弾き」で全体を演奏しても楽しいですね。
最後は、アッチェレランド（*accel.*～次第に速く＆そして終わる）していくと面白いですね。

となりのトトロ

宮崎駿：作詞／久石譲：作曲／泉田由美子：編曲

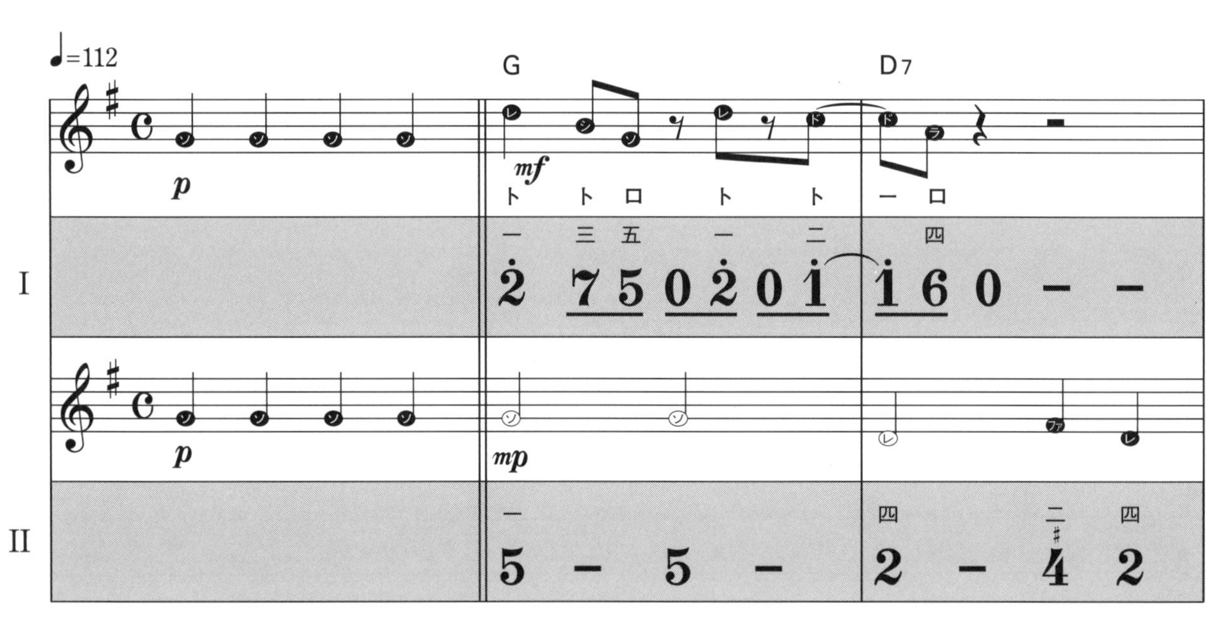

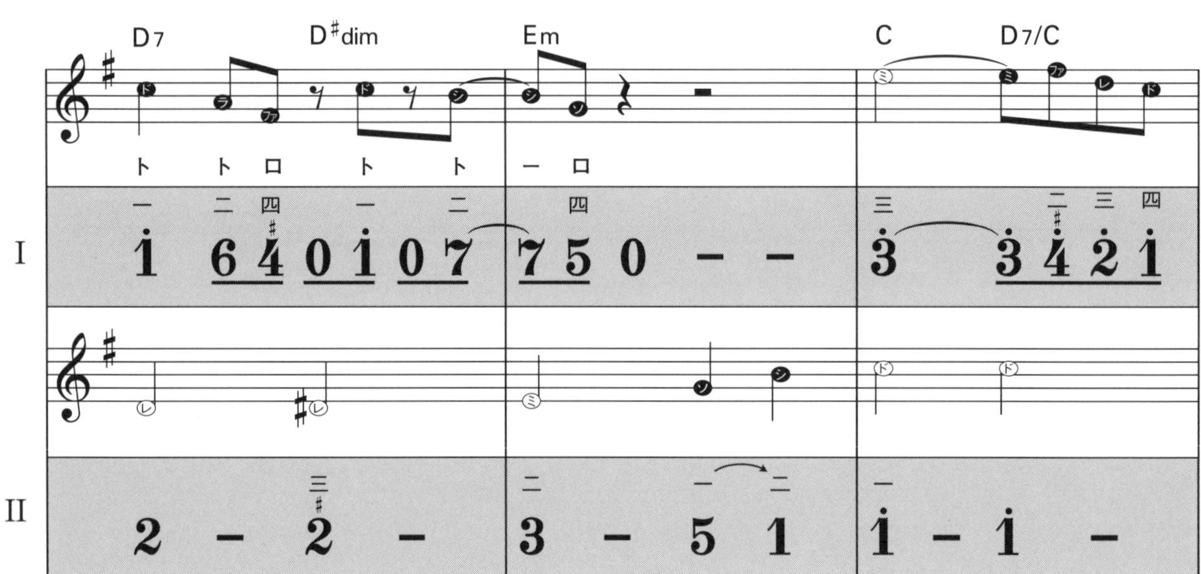

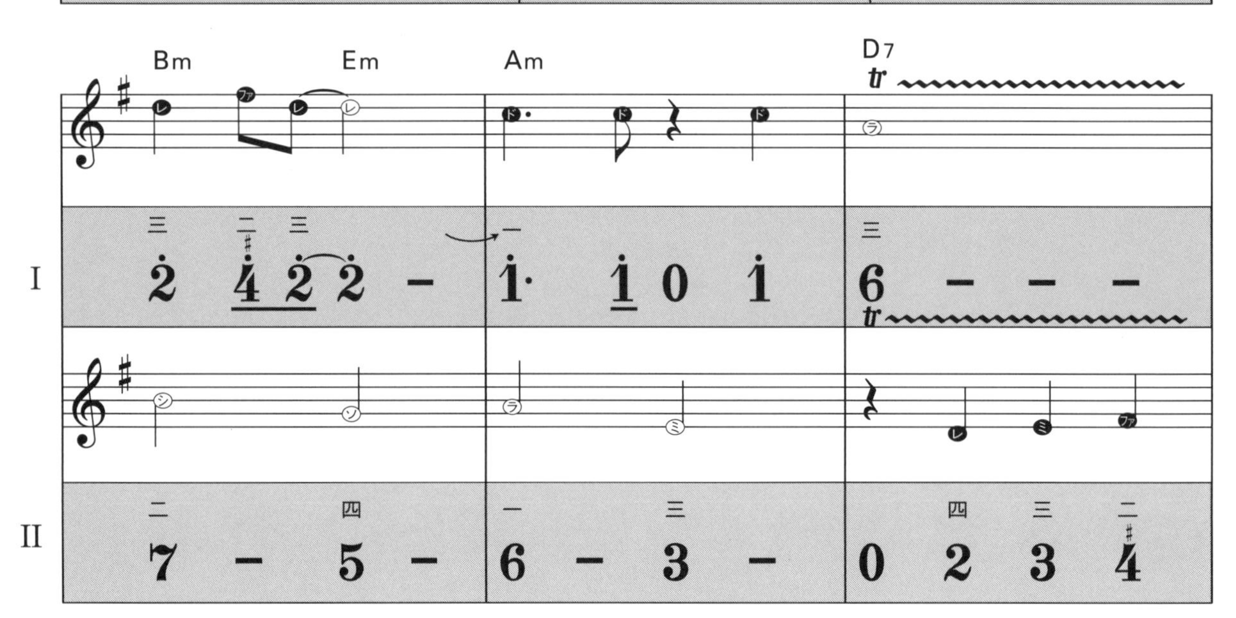

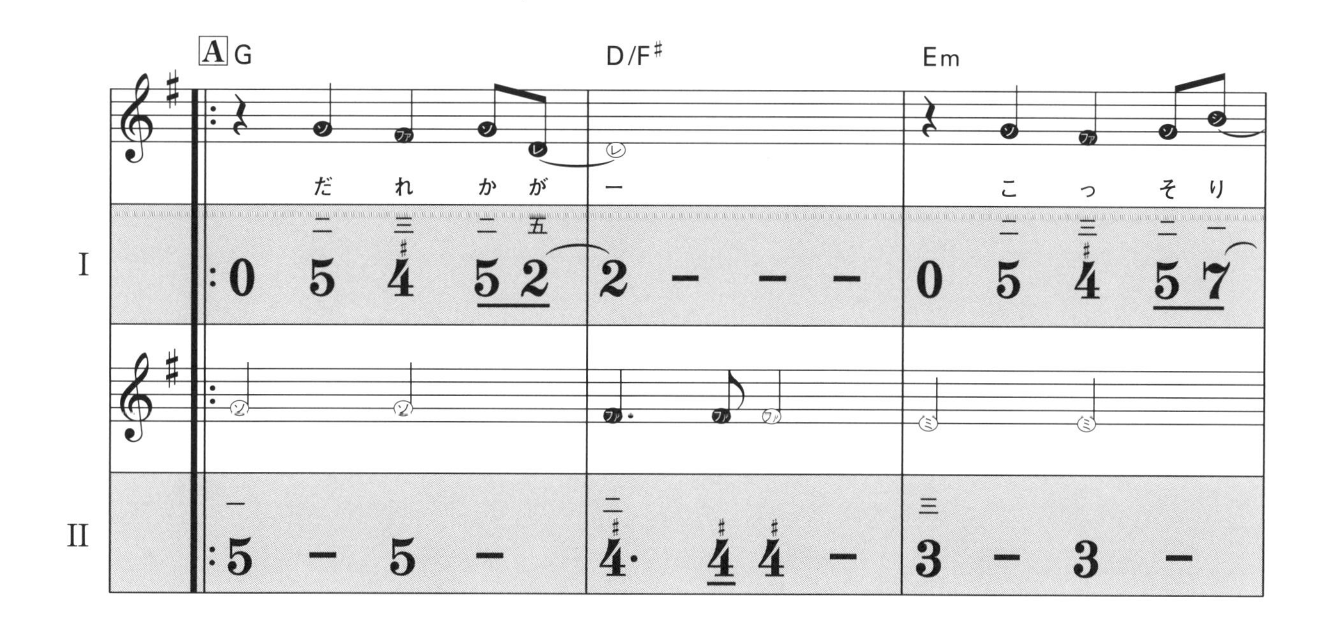
A
G
D/F♯
Em
だ れ か が ー
こ っ そ り
I
II

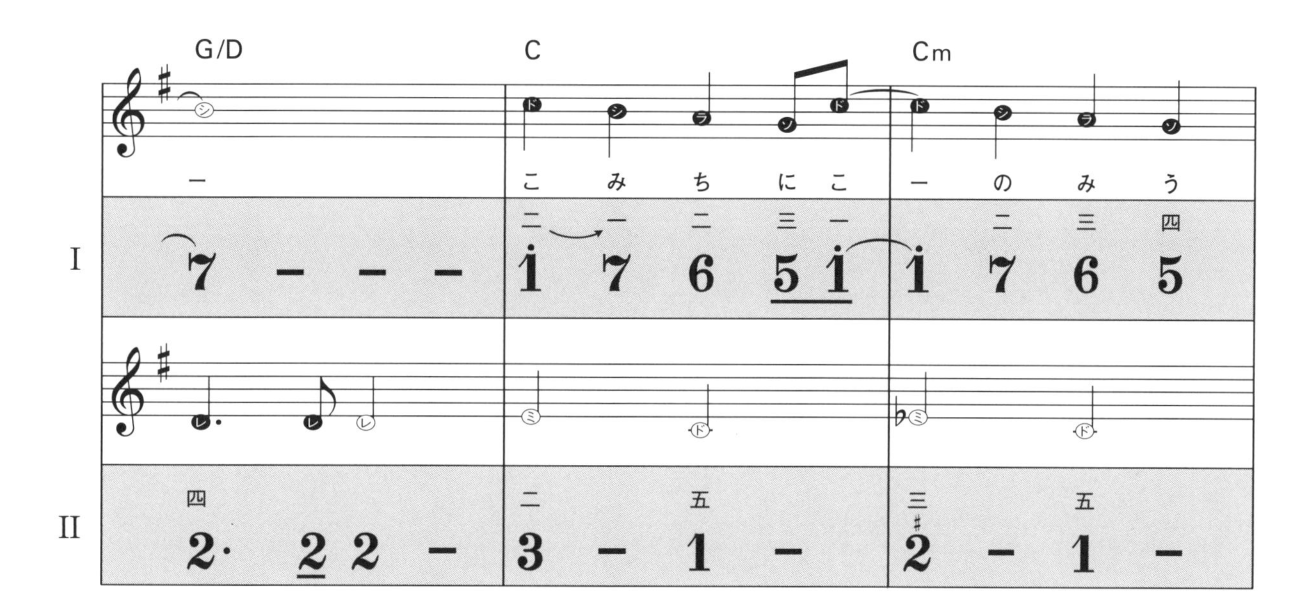
G/D
C
Cm
ー
こ み ち に こ
ー の み う
I
II

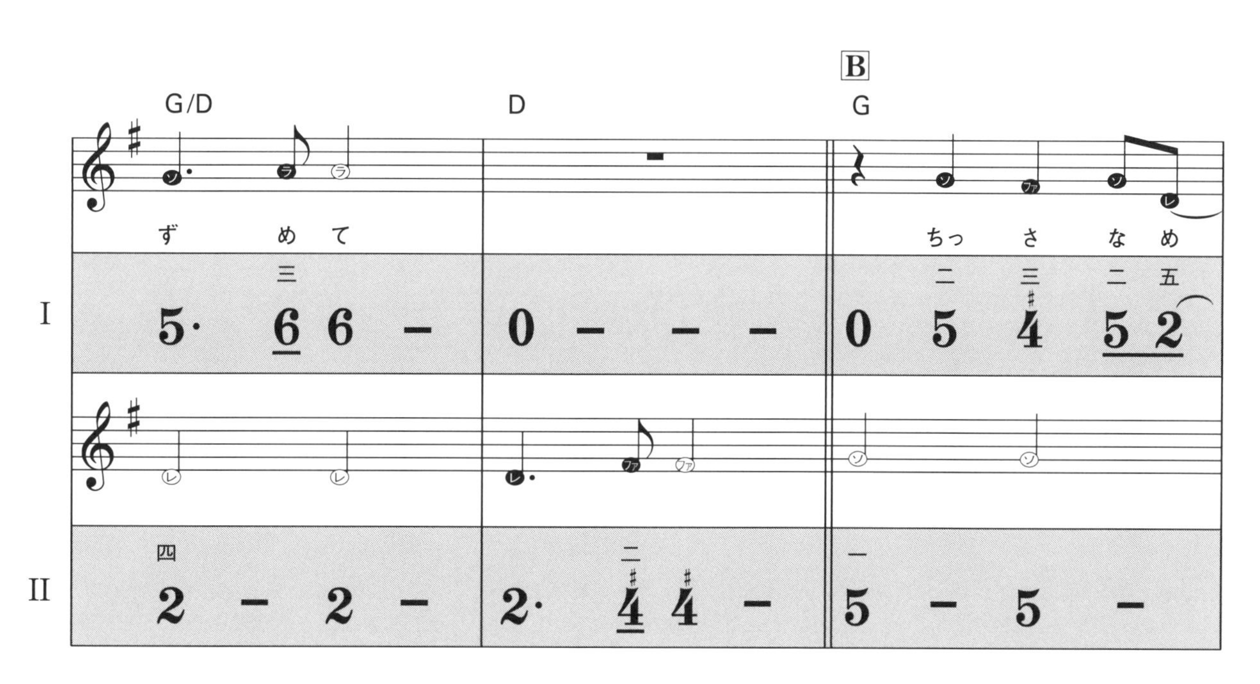
B
G/D
D
G
ず め て
ちっ さ な め
I
II

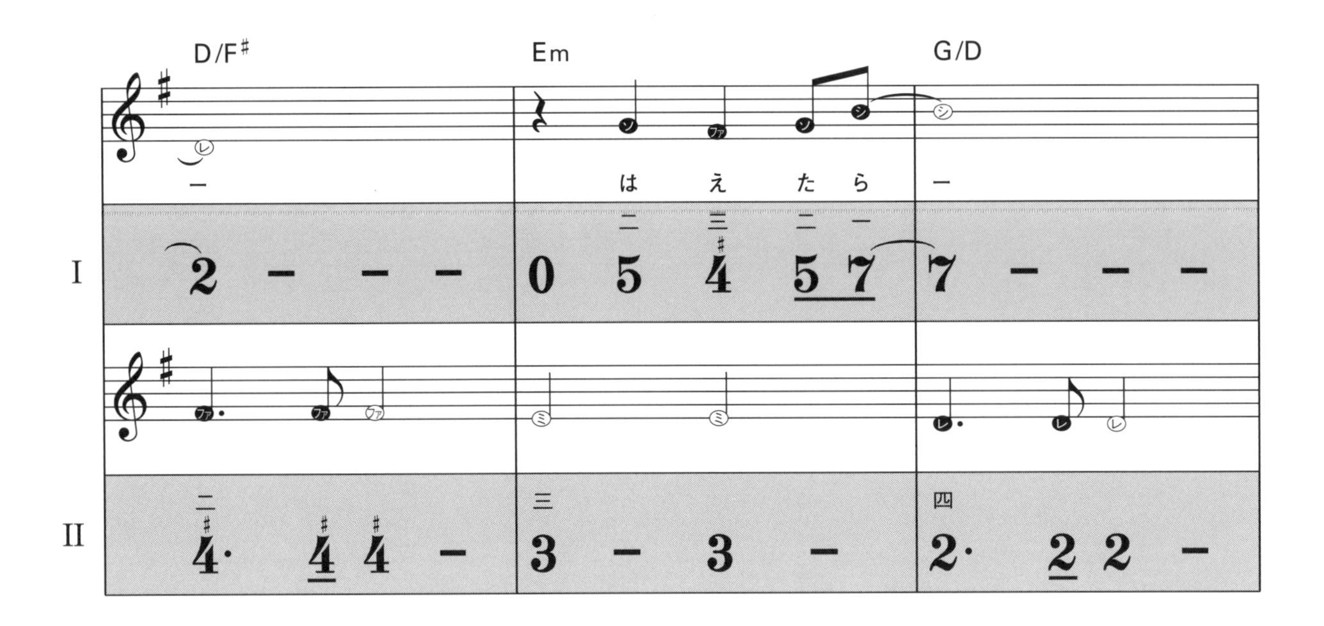
D/F♯
Em
G/D
ー
はえたら
ー
I
II

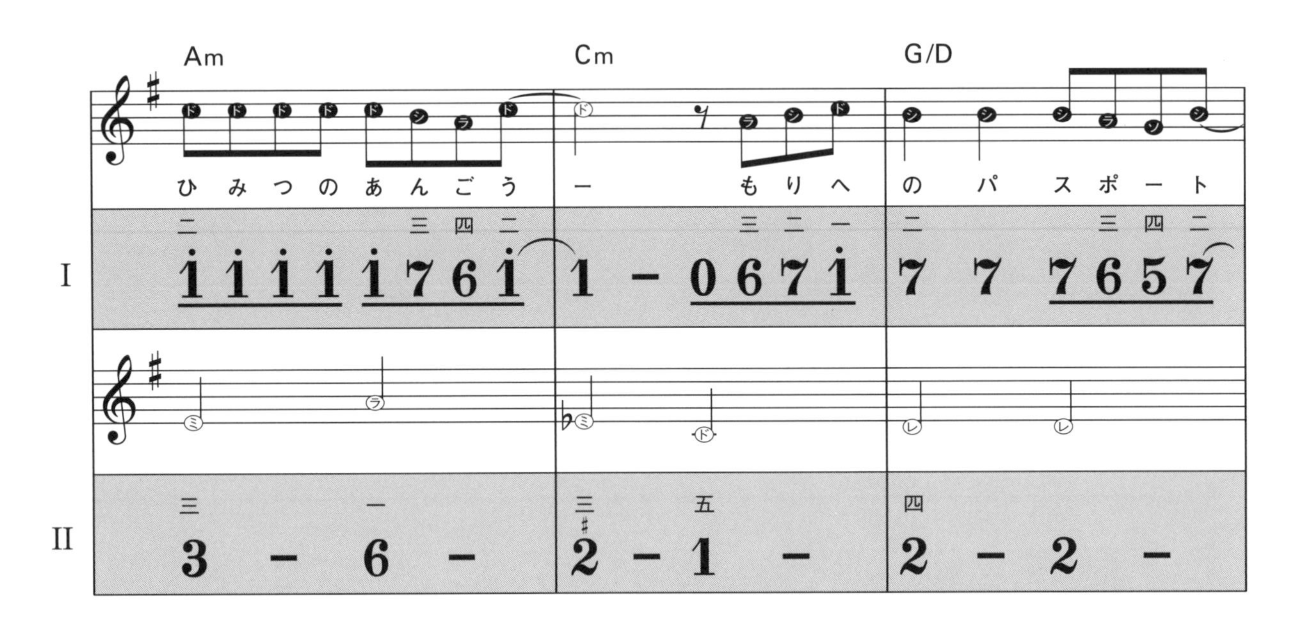
Am
Cm
G/D
ひみつのあんごう
ー もりへ
のパスポート
I
II

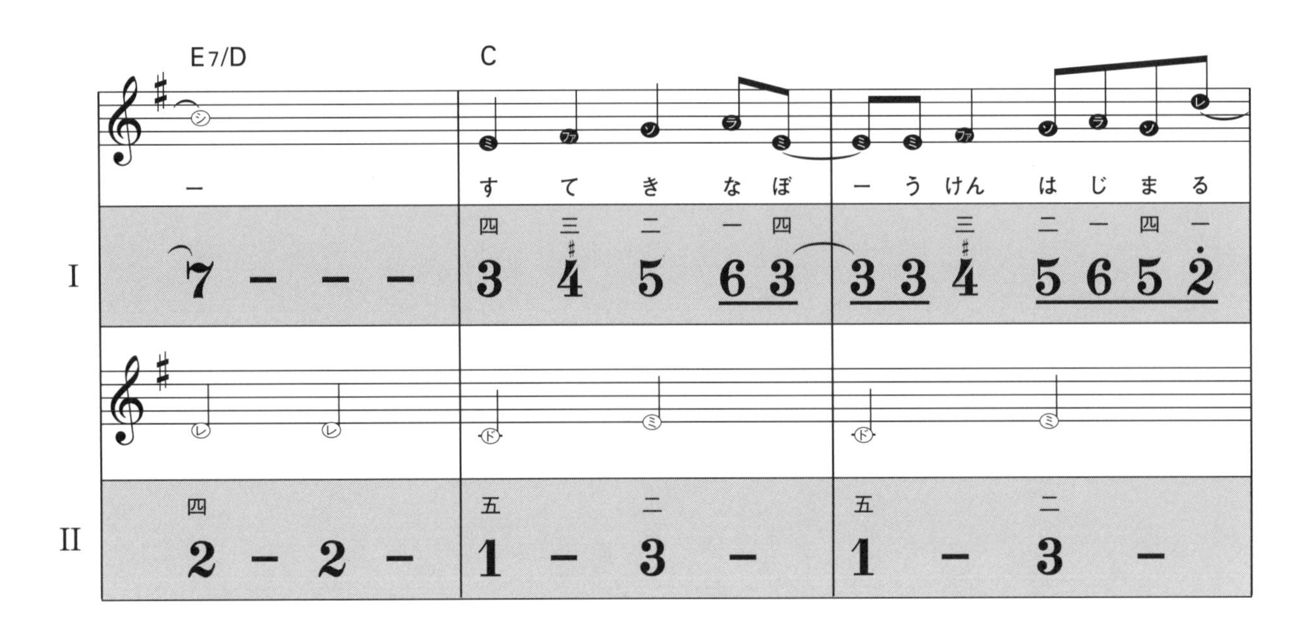
E7/D
C
ー
すてきなぼ
ーうけん はじまる
I
II

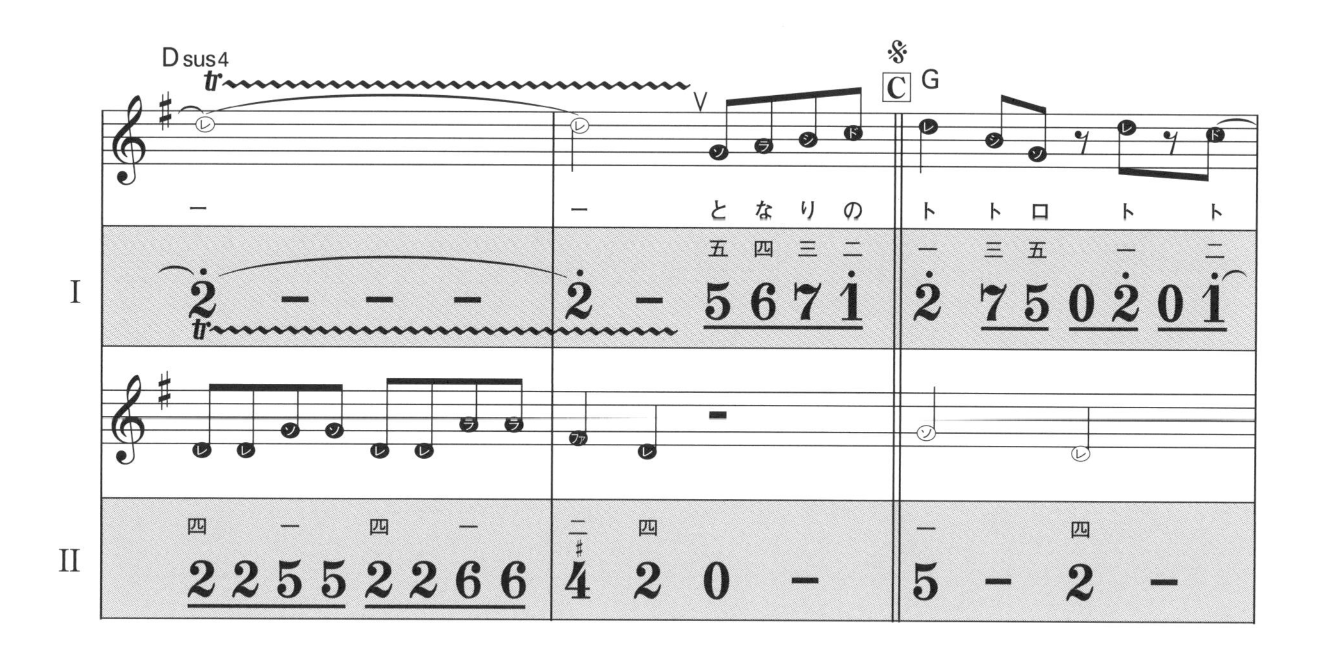
Dsus4
tr
C
G
ー
ー　と　な　り　の
ト　ト　ロ　ト　ト
I
II

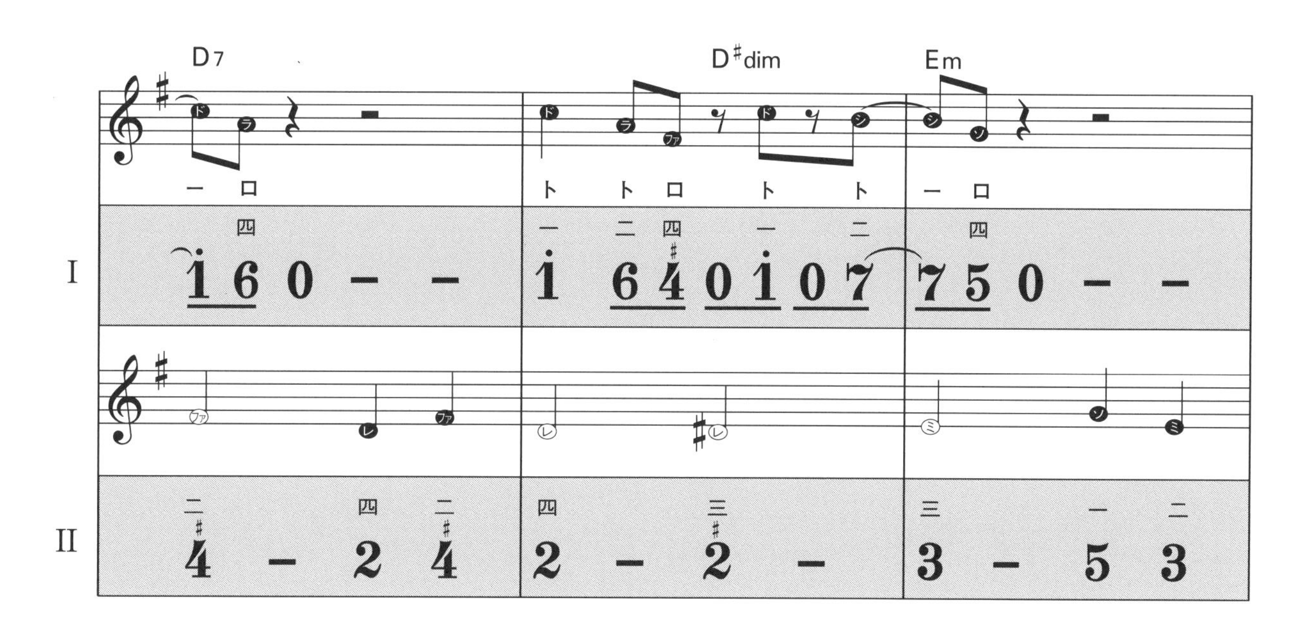
D7
D♯dim
Em
ー　ロ
ト　ト　ロ　ト　ト
ー　ロ
I
II

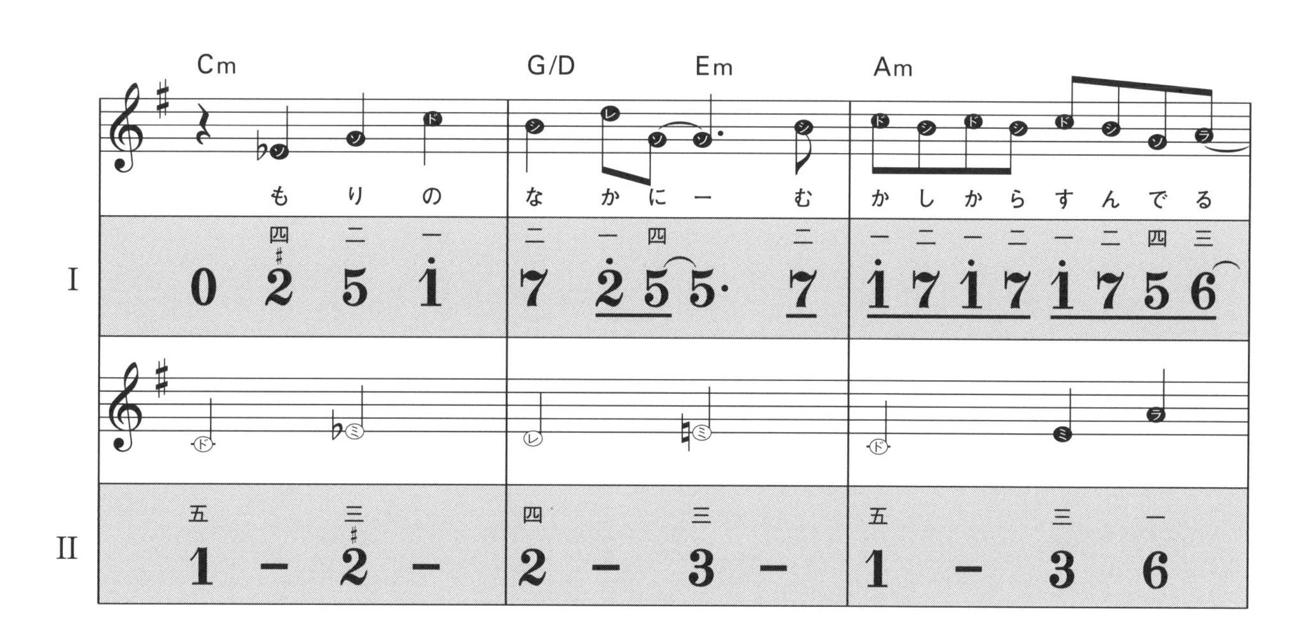
Cm
G/D
Em
Am
も　り　の
な　か　に　ー　む
か　し　か　ら　す　ん　で　る
I
II

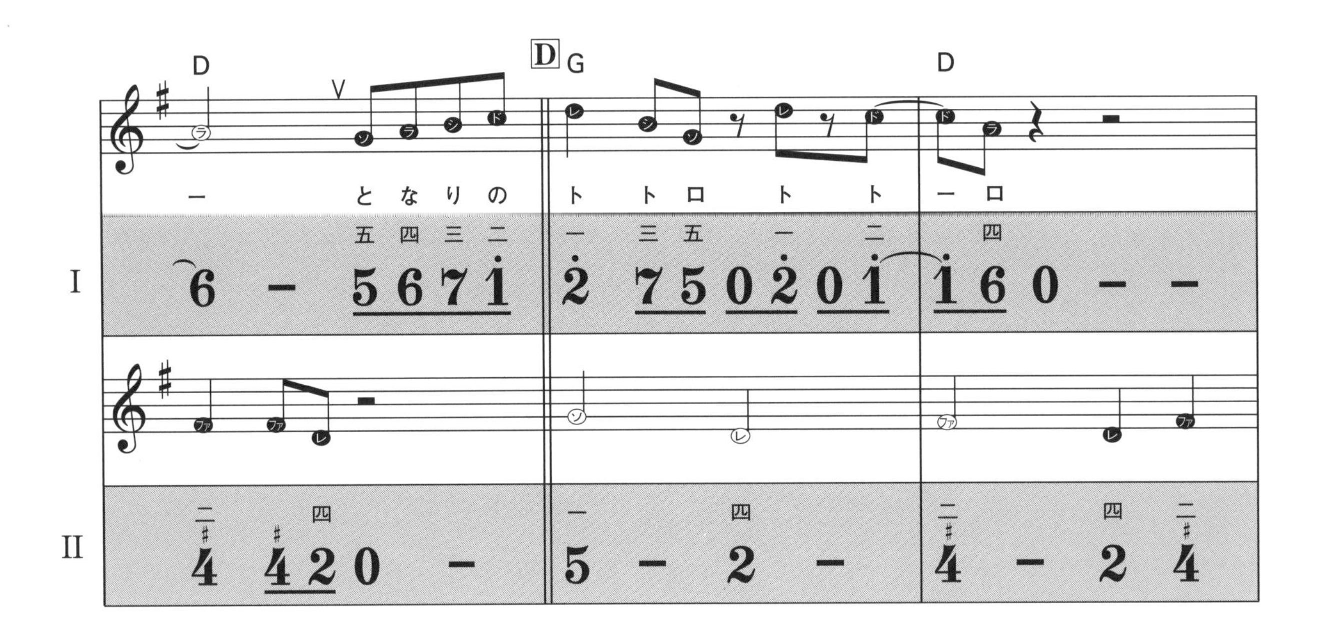
D
D
G
D
ー となりの
ト トロ ト ト
ー ロ
I
II

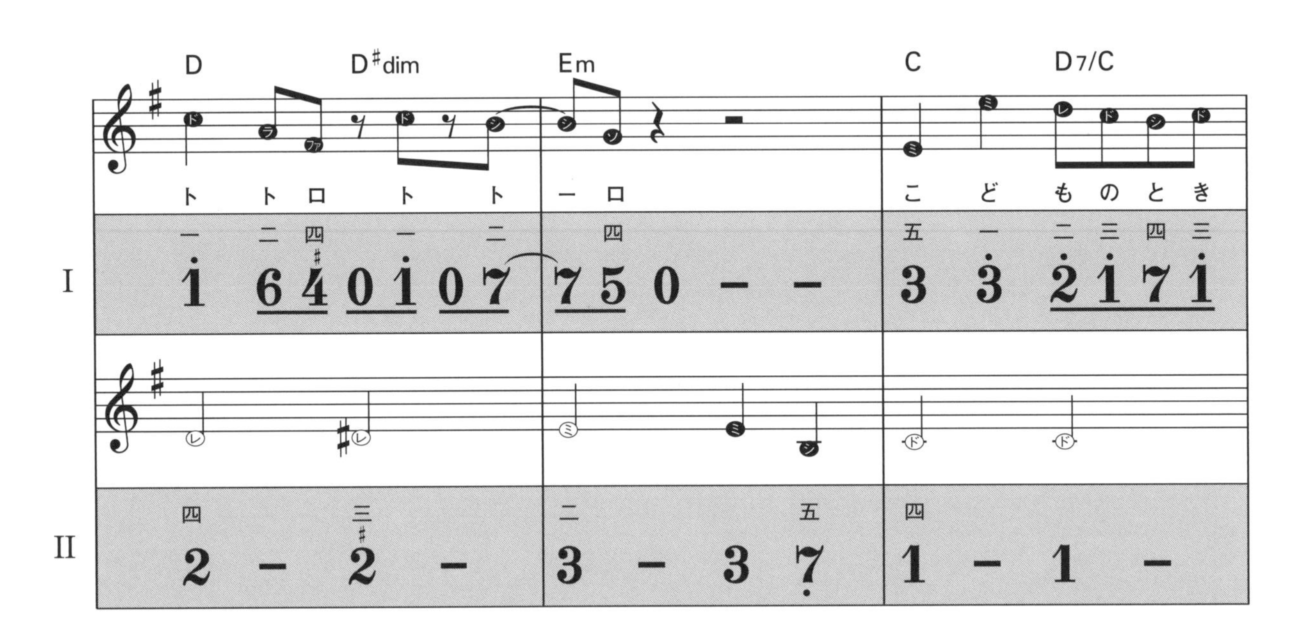
D
D#dim
Em
C
D7/C
ト トロ ト ト
ー ロ
こどものとき
I
II

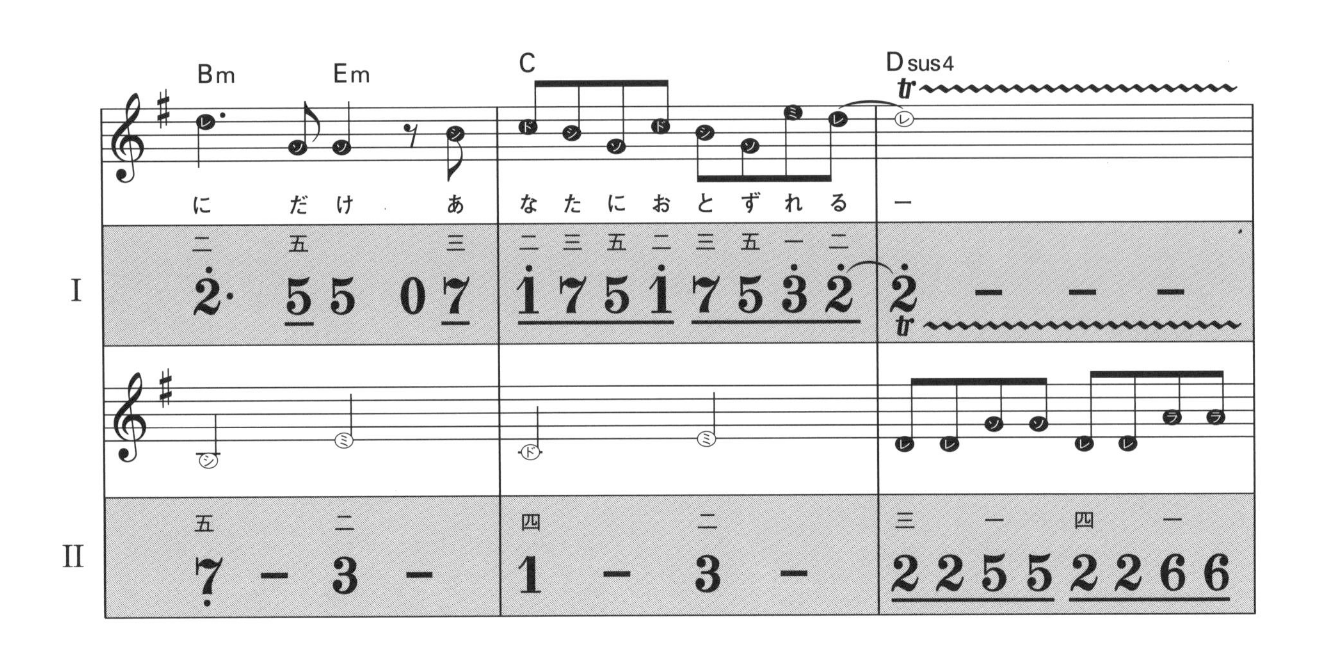
Bm
Em
C
Dsus4
に だけ あ
なたにおとずれる
ー
I
II

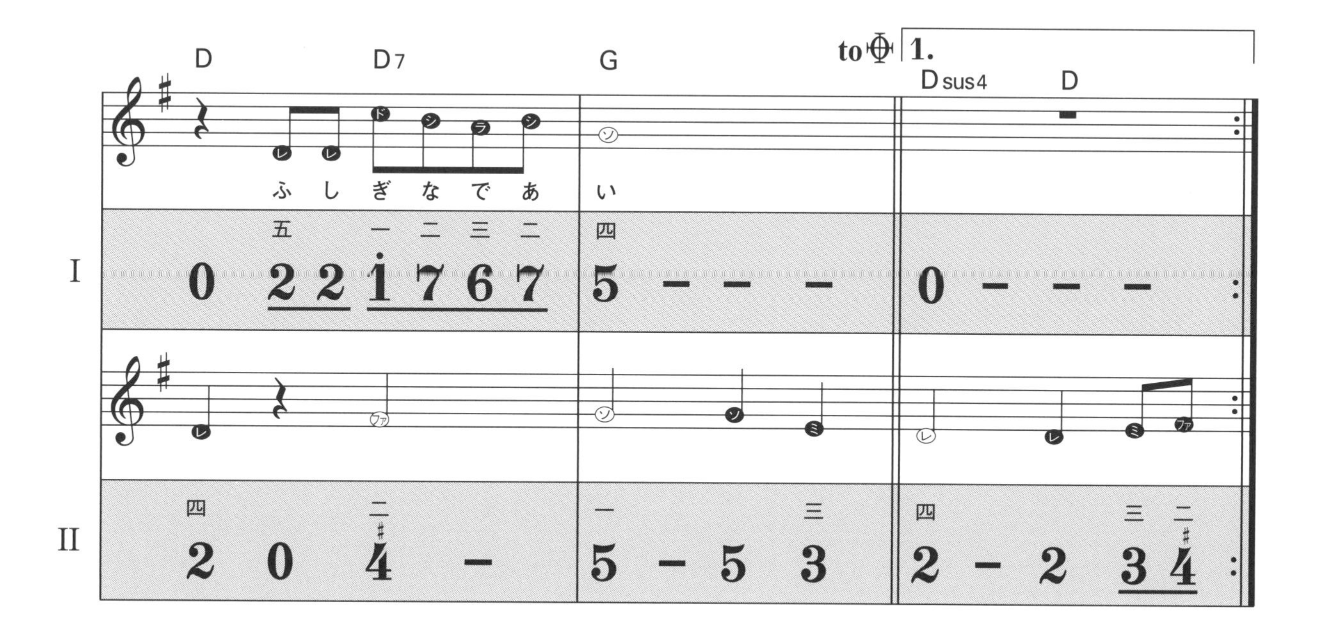

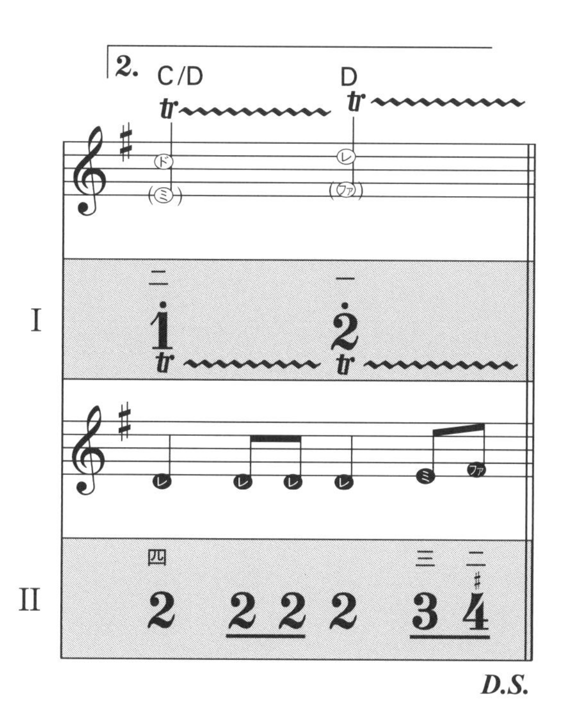

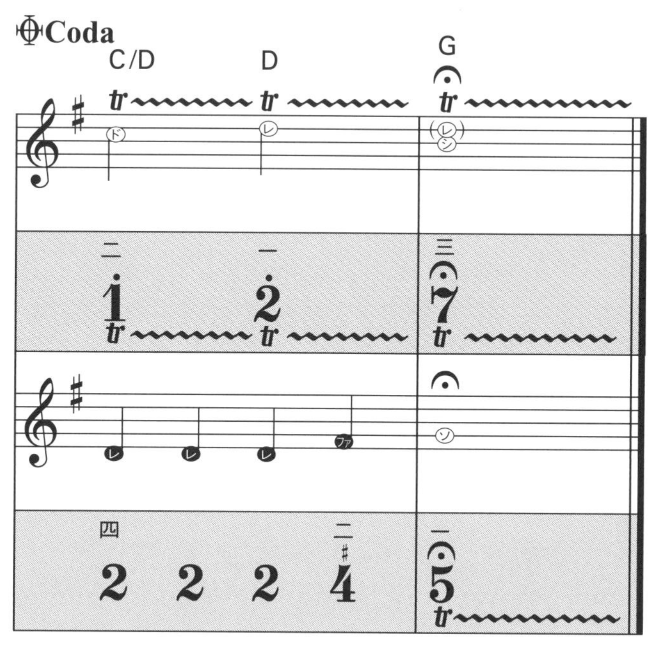

2. 雨ふり　バス停
ズブヌレ　オバケがいたら
あなたの雨ガサ　さしてあげましょ
森へのパスポート
魔法の扉　あきます

となりのトトロ　トトロ　トトロ　トトロ
月夜の晩に　オカリナ吹いてる
となりのトトロ　トトロ　トトロ　トトロ
もしも会えたなら　すてきな　しあわせが
あなたに来るわ

トトロ　トトロ　トトロ　トトロ
※繰り返し

演奏のポイント

𝄾と𝄽入りのメロディは、くり返しを入れると5回出てきます。直前の𝄾をしっかり止めて演奏してください。

東京音頭

西条八十：作詞／中山晋平：作曲／泉田由美子：編曲

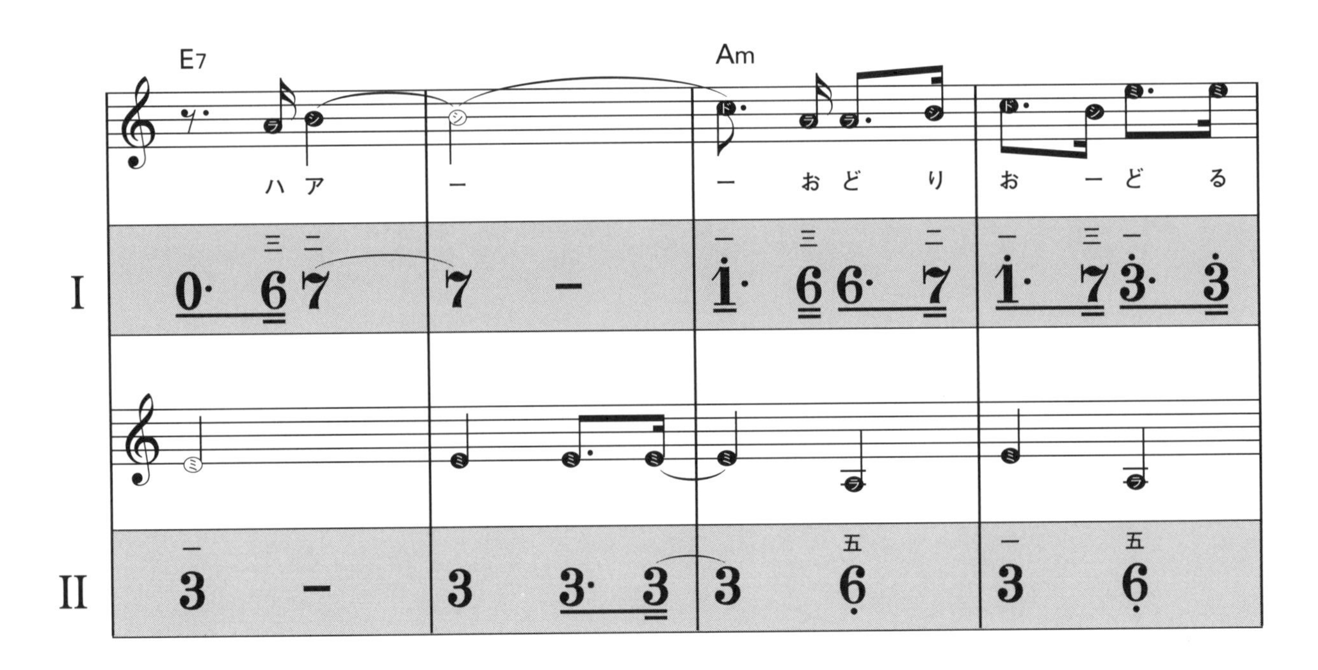

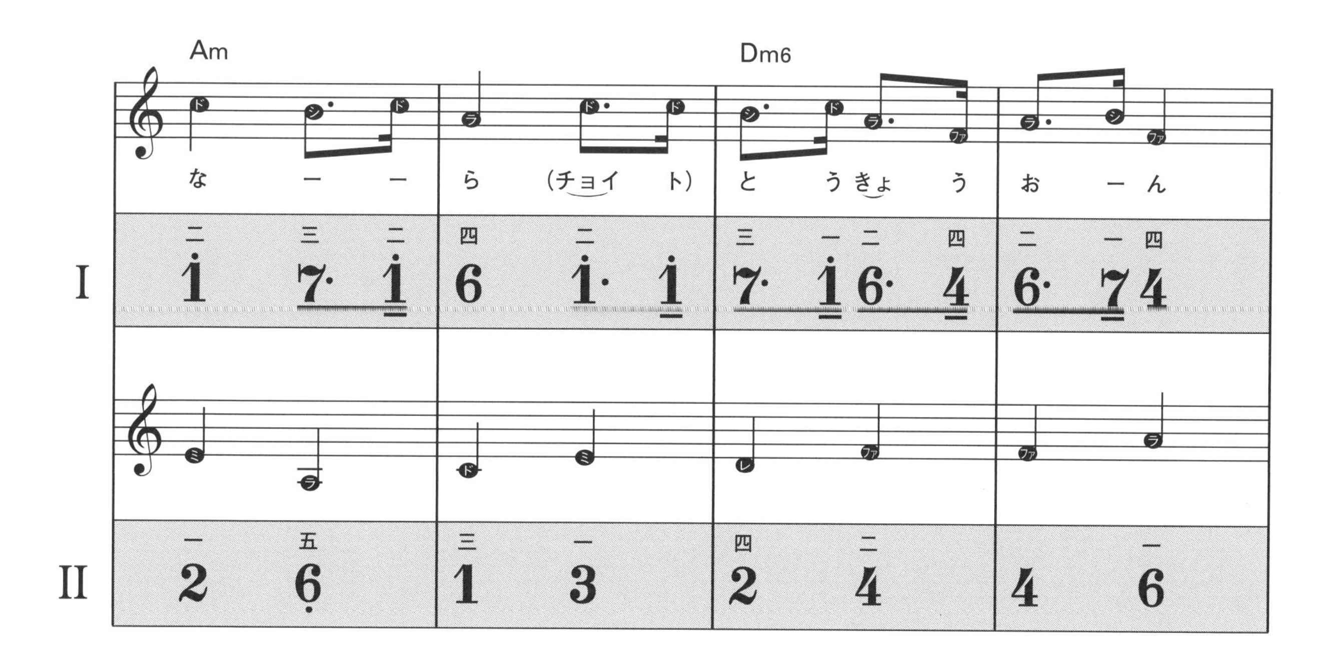
Am
Dm6
な　ー　ー　ら　(チョイ　ト)　と　うきょ　う　お　ー　ん
I
II

E7
Am
F
ど　ー　はなの　み　ー　や　こ　ー　ー
I
II

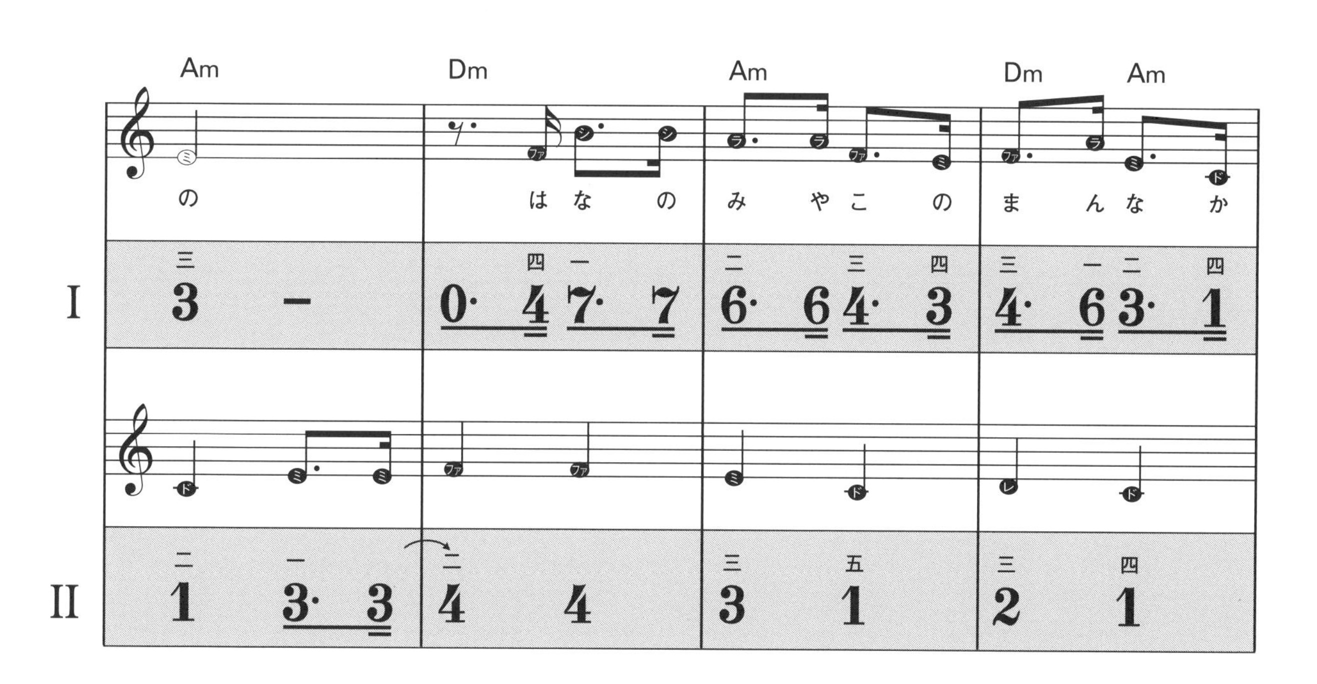
Am
Dm
Am
Dm
Am
の　はなの　みやこの　まんなか
I
II

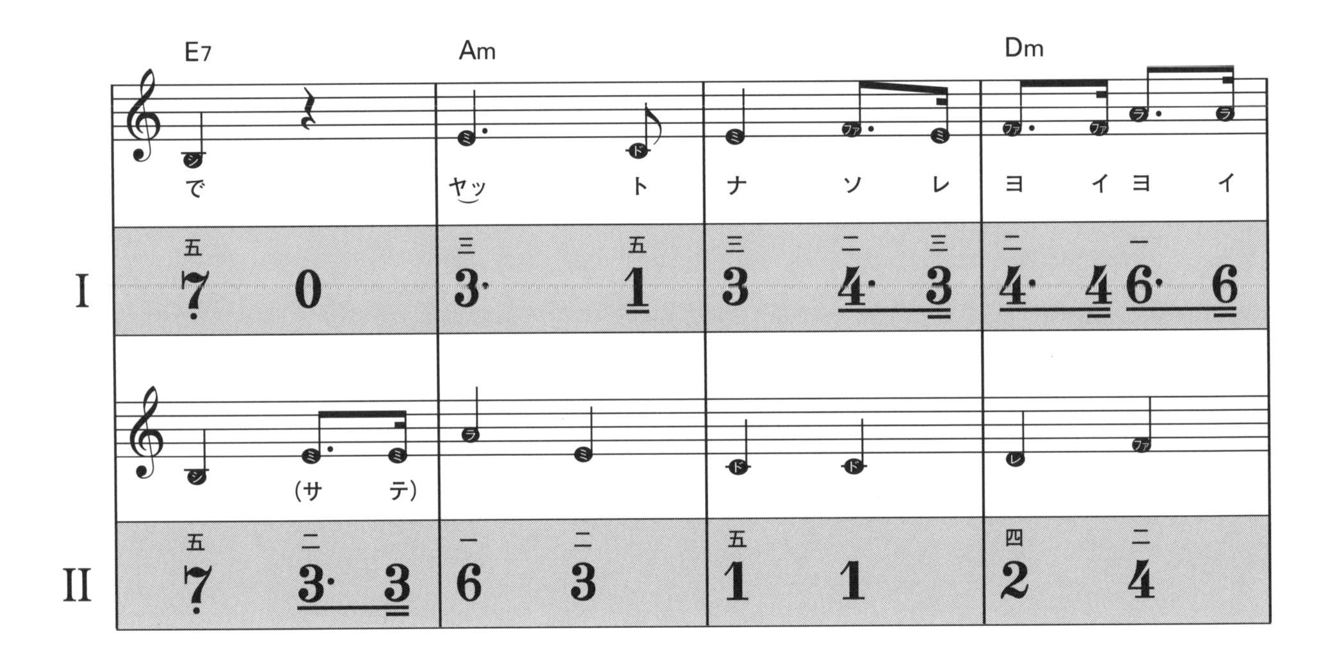

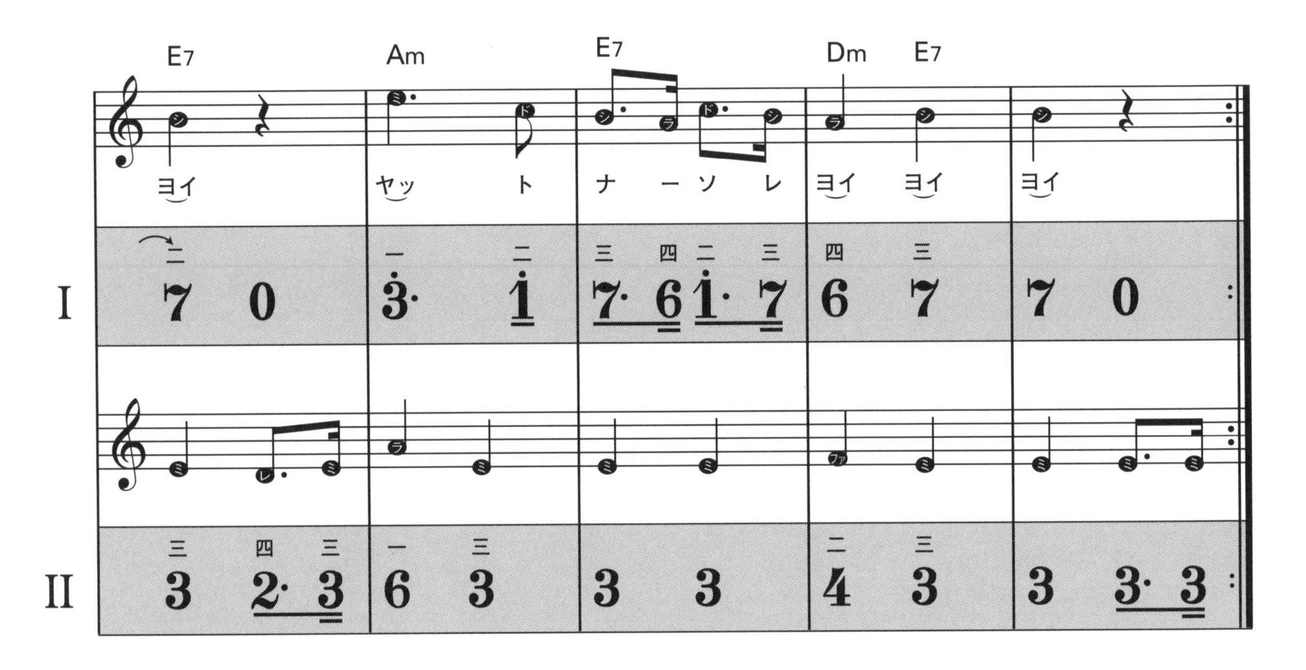

2. ハア〜　寄せて返して（チョイト）　返して寄せる（ヨイヨイ）
東京繁昌の　東京繁昌の　人の波
（サテ　ヤットナ　ソレ　ヨイヨイヨイ）…２回繰り返す
以下囃子言葉は同じ

3. ハア〜　昔（むかし）ゃ武蔵野　芒（すすき）の都
今はネオンの　今はネオンの　灯の都

4. ハア〜　花は上野よ　柳は銀座
月は隅田の　月は隅田の　屋形船

5. ハア〜　幼なじみの　観音様は
屋根の月さえ　屋根の月さえ　なつかしや

6. ハア〜　西に富士の嶺（みね）　東に筑波（つくば）
音頭とる子は　音頭とる子は　真ん中に

演奏のポイント

ピックの使い方
向こう弾き（基本弾き）┌┐
手まえ弾き（返し弾き）V　を交ぜて演奏しましょう。

東京ブギウギ

鈴木勝：作詞／服部良一：作曲／泉田由美子：編曲

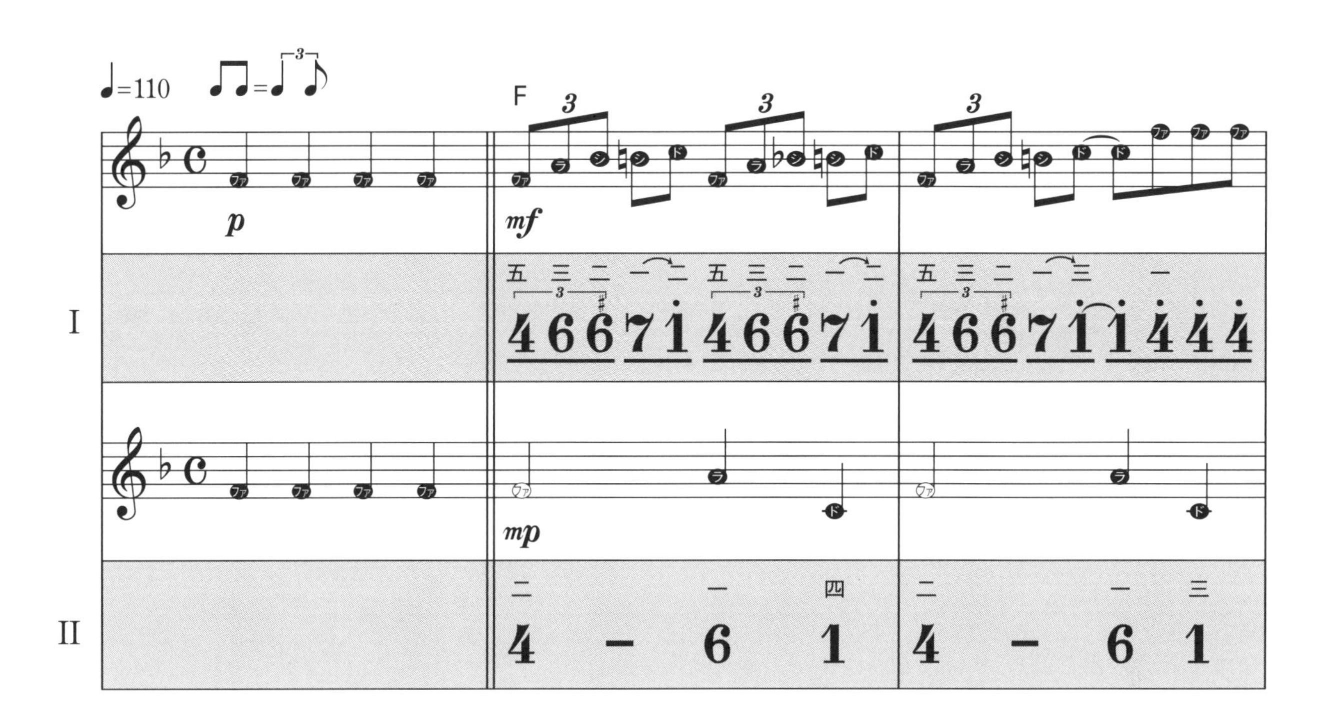

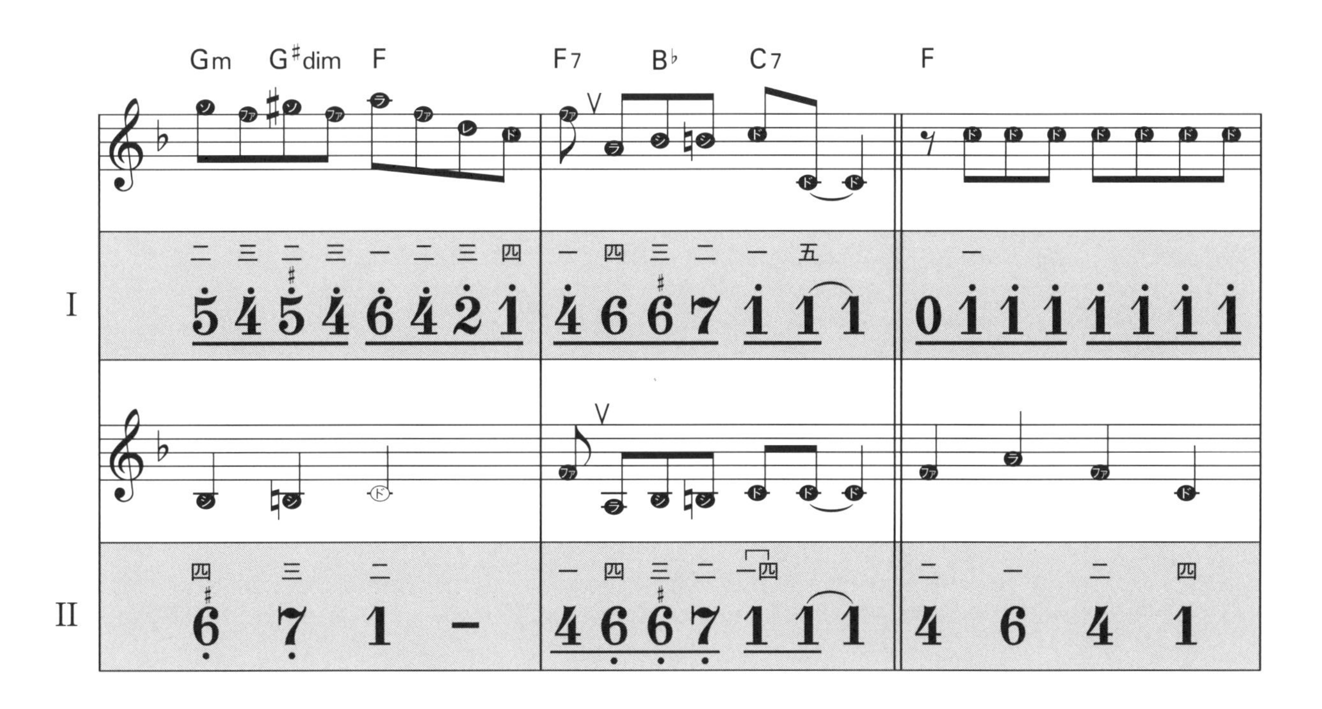

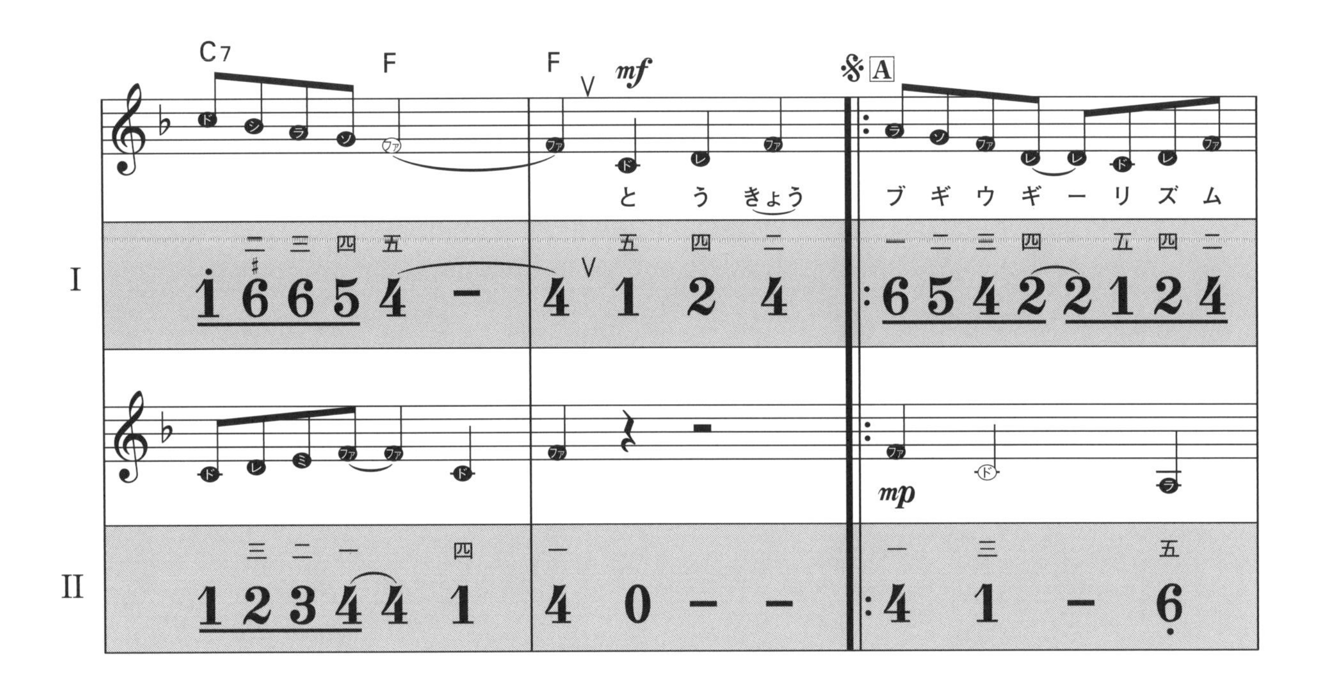

C7
F
F
mf
A
とうきょう
ブギウギーリズム
I
II
mp

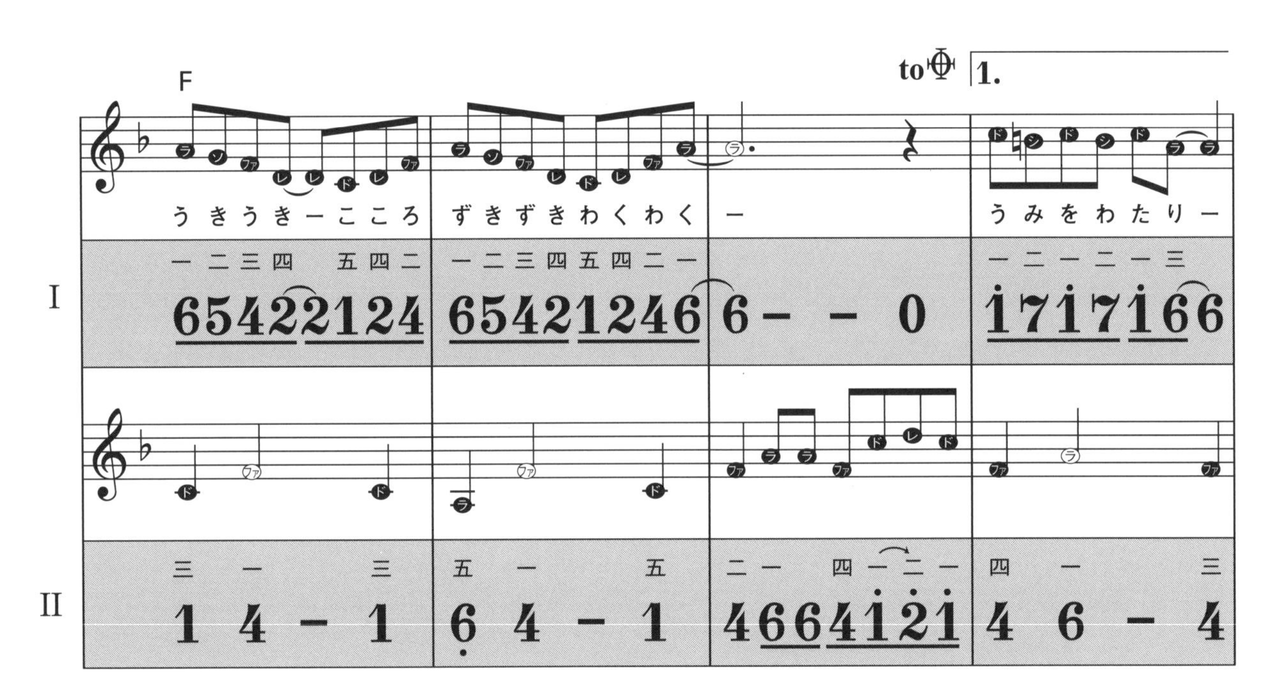

F
to
1.
うきうきーこころ
ずきずきわくわく
ー
うみをわたりー
I
II

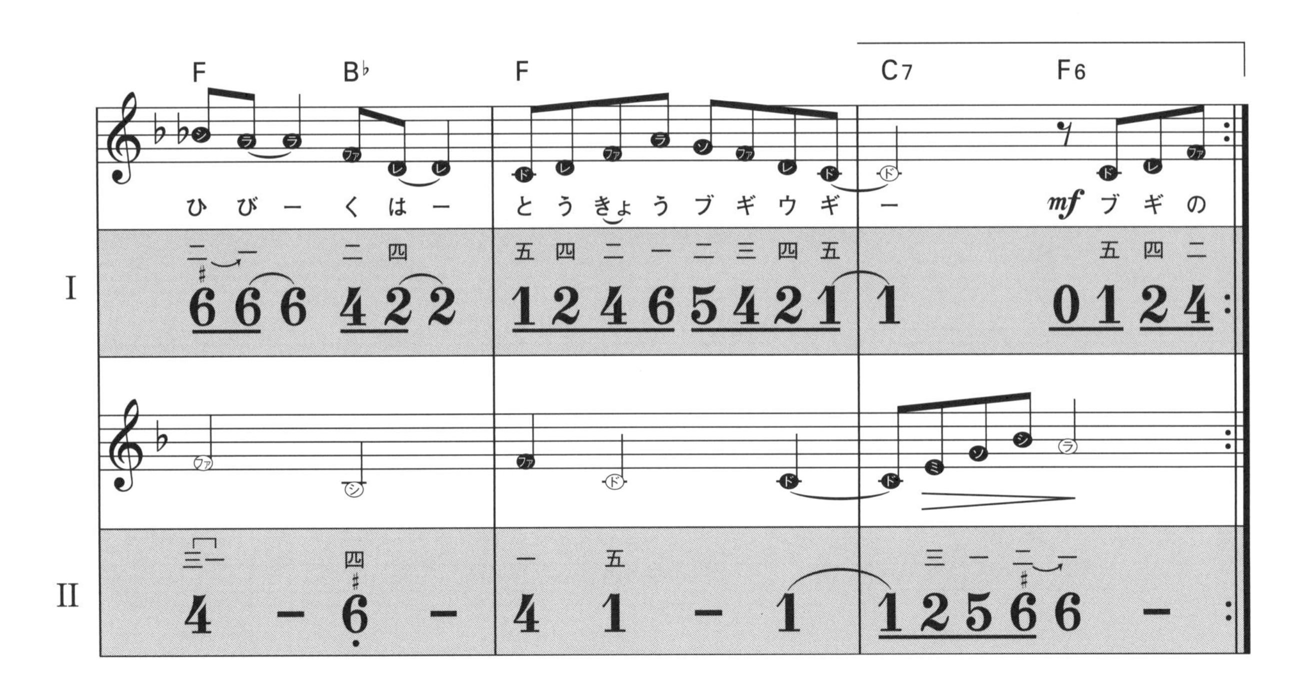

F
B♭
F
C7
F6
ひびーくはー
とうきょうブギウギ
ー
mf
ブギの
I
II

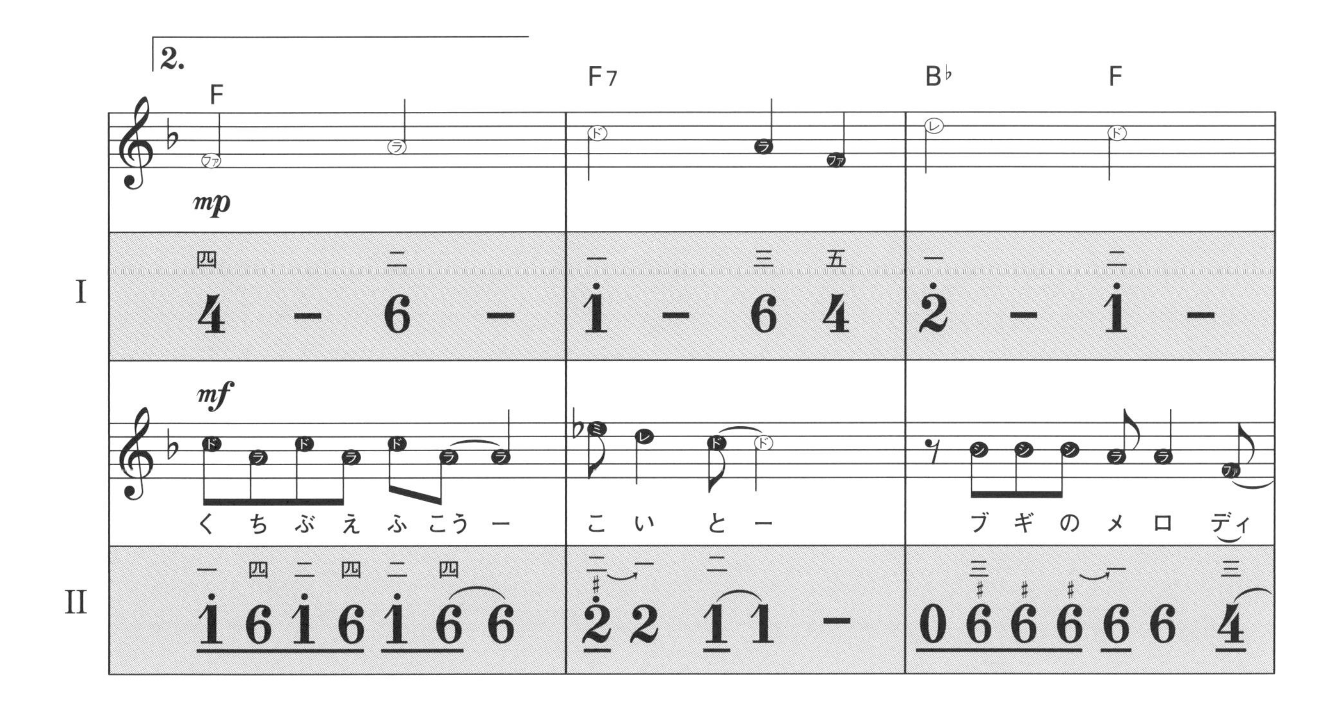
2.
F F7 B♭ F
mp
mf
くちぶえふこうー こいとー ブギのメロディ
I
II

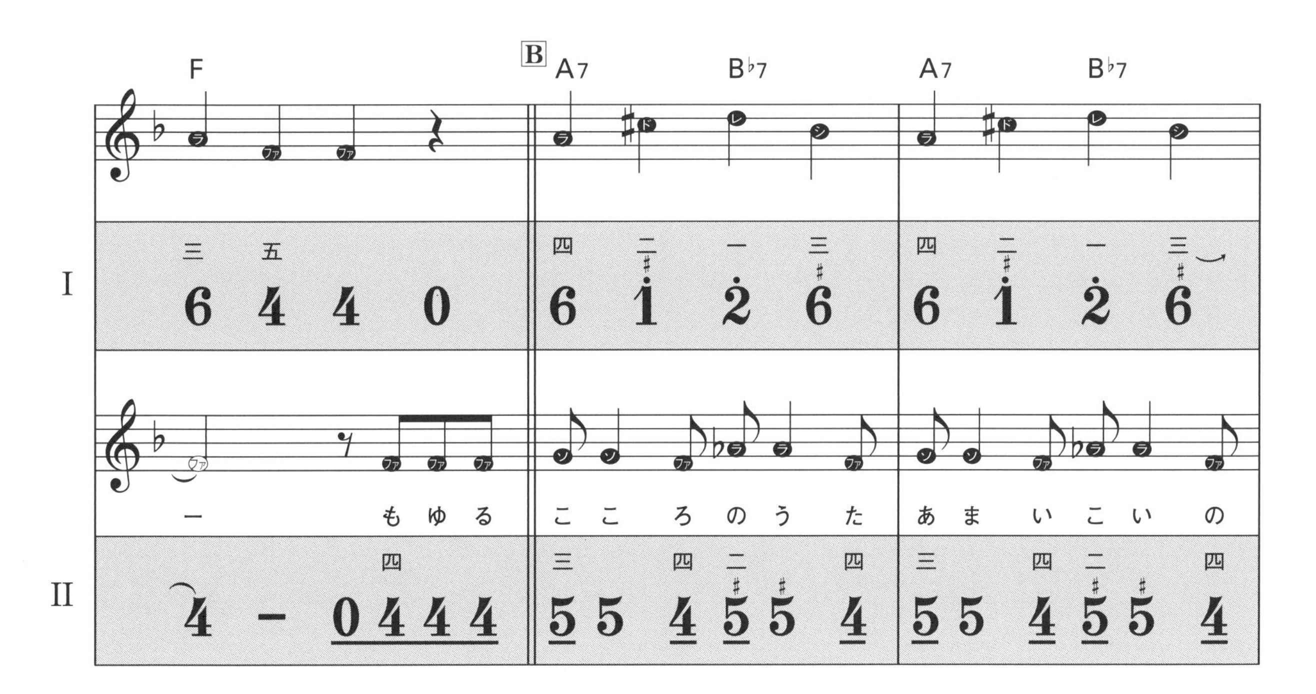
F B A7 B♭7 A7 B♭7
ー もゆる こころのうた あまいこいの
I
II

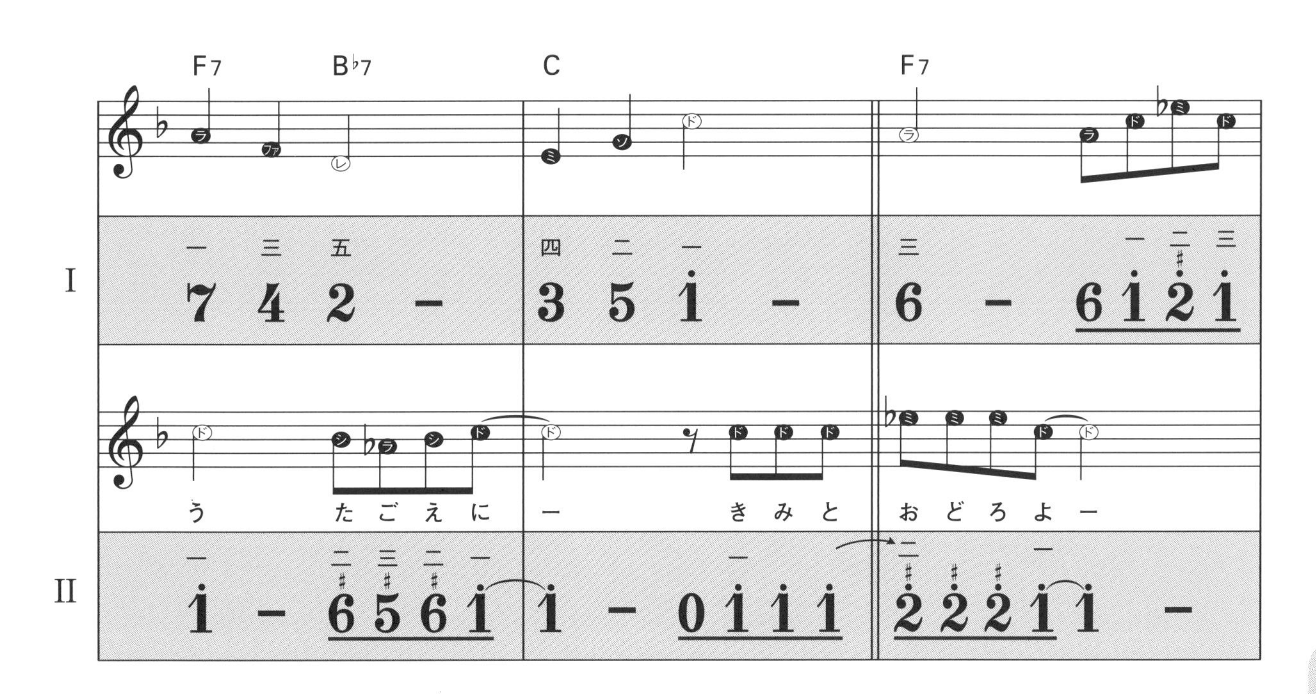
F7 B♭7 C F7
う たごえに ー きみと おどろよー
I
II

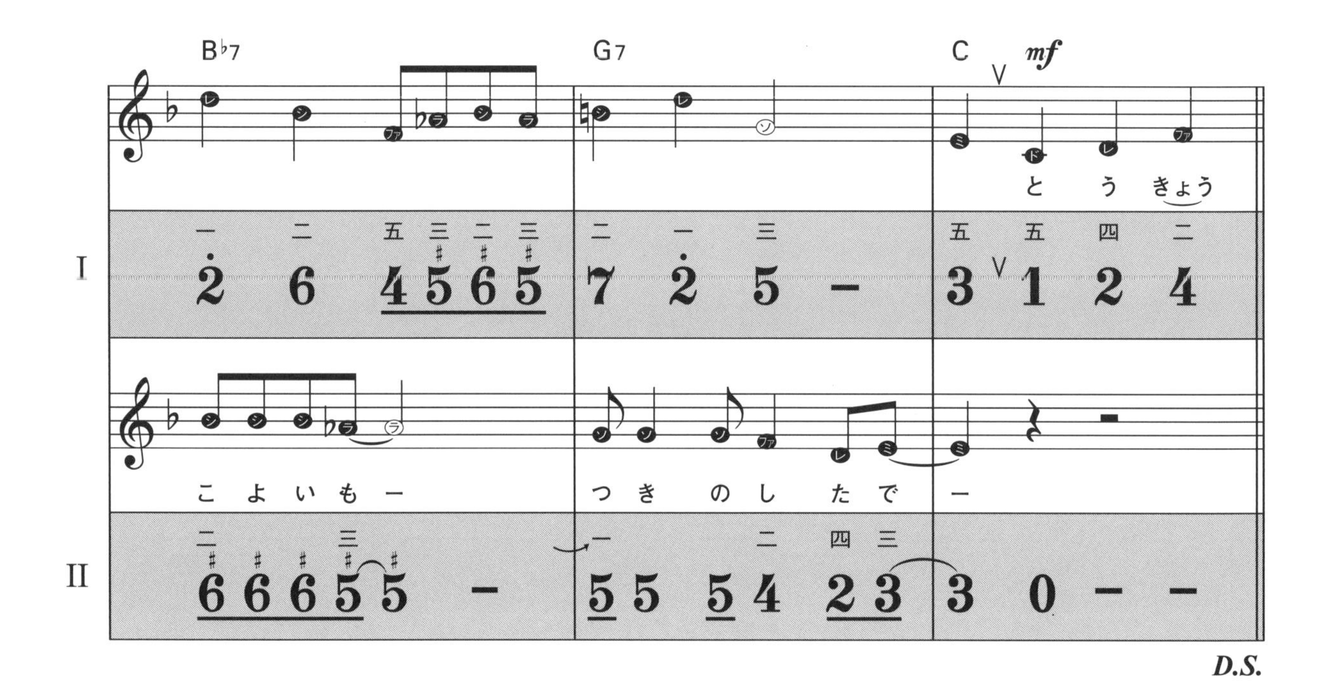
B♭7
G7
C
mf
と う きょう
I
こ よ い も ー
つ き の し た で ー
II
D.S.

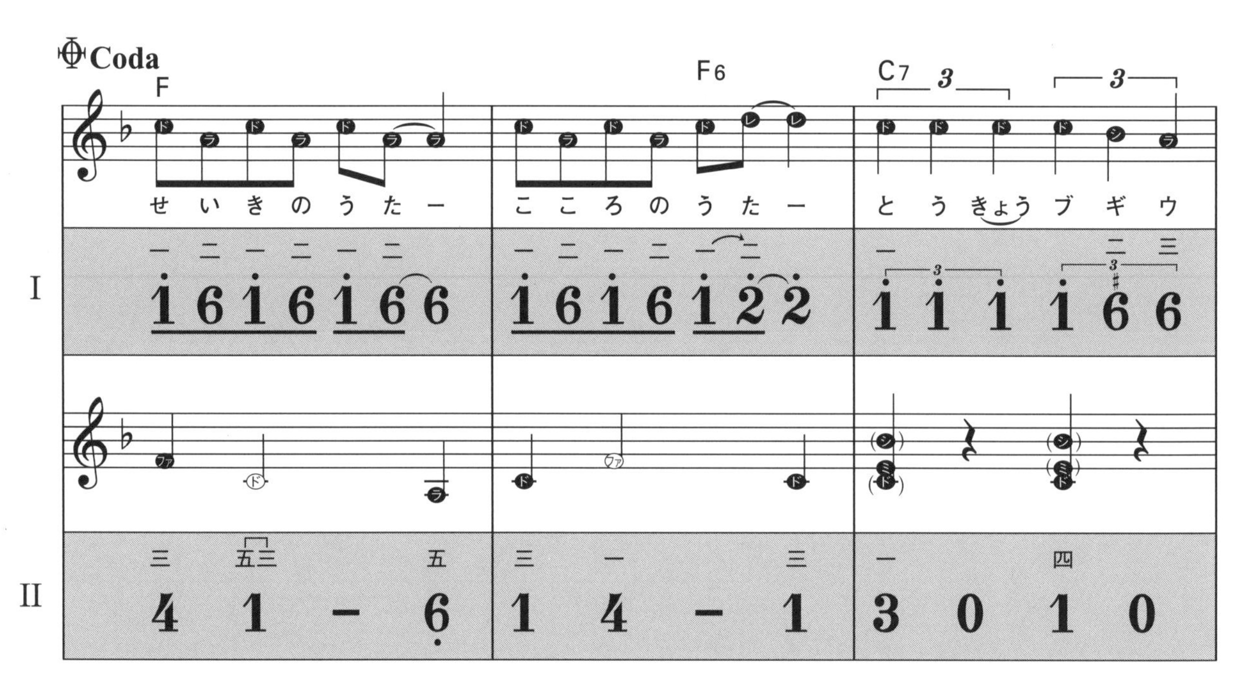
Coda
F
F6
C7
せ い き の う た ー
こ こ ろ の う た ー
と う きょう ブ ギ ウ
I
II

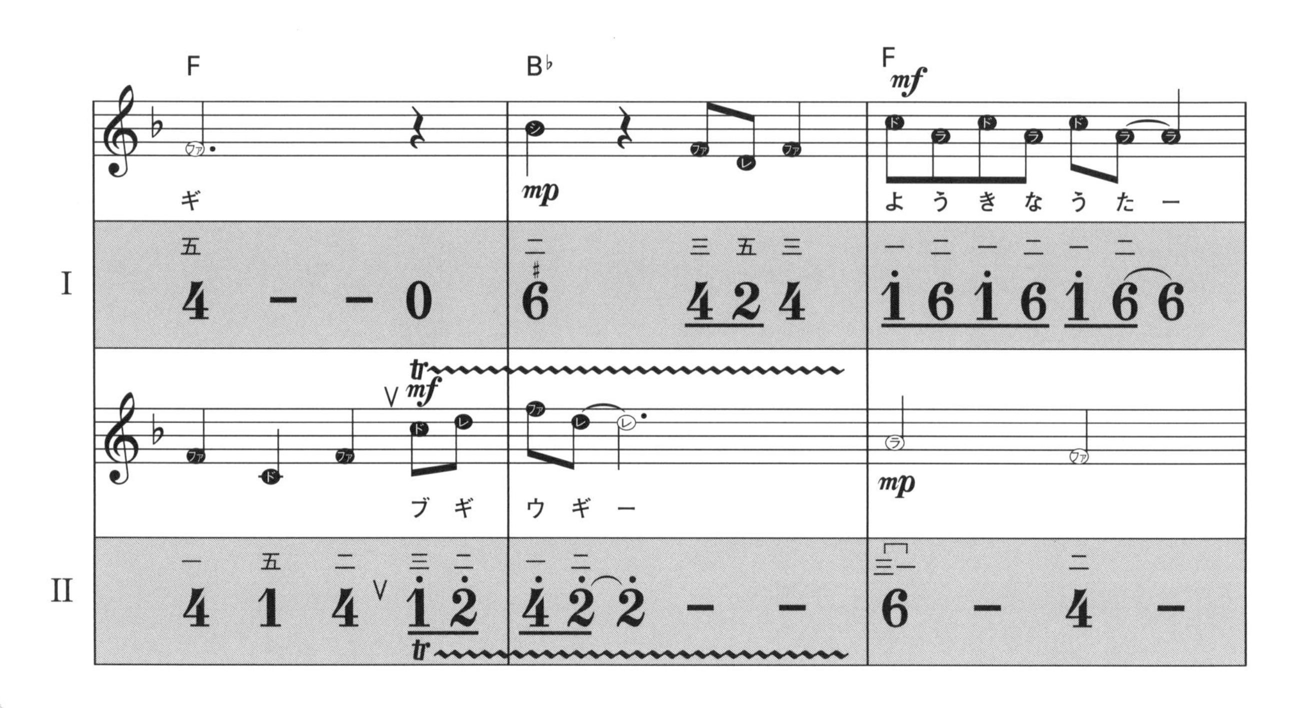
F
B♭
F
mf
ギ
mp
よ う き な う た ー
I
ブ ギ
ウ ギ ー
II

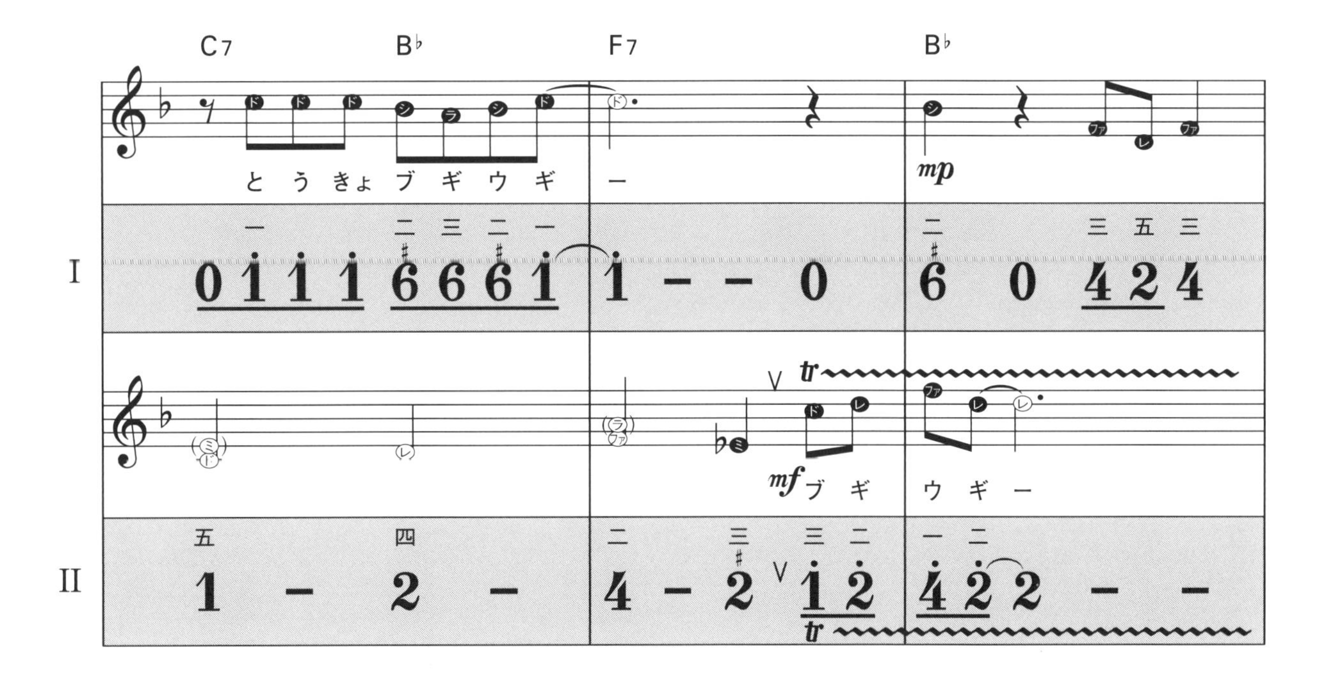

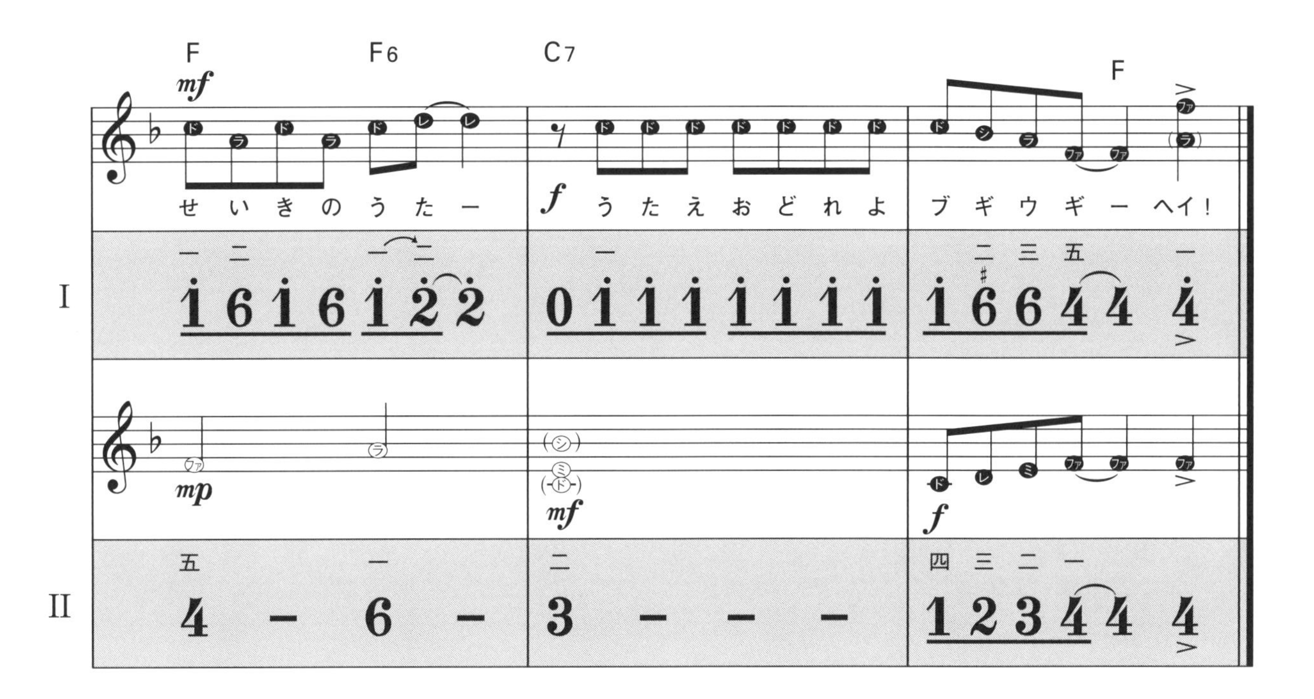

（くり返し部分）

1. ブギの踊りは　世界の踊り　二人の夢の　あの歌
2. さあさブギウギ　太鼓叩いて　派手に踊ろよ　歌およ

君も僕も愉快な　東京ブギウギ
ブギを踊れば　世界は一つ　同じリズムとメロディ
手拍子を取って　歌おう　ブギのメロディ
燃ゆる心の歌　甘い恋の歌声に　君と踊ろよ　今宵も星を浴びて
東京ブギウギ　リズムうきうき　心ずきずき　わくわく
世界の歌　楽しい歌　東京ブギウギ

演奏のポイント

♫ = ♩♪（3連符）の演奏方法

8分音符2個 ♫ は、♩♪（3連符）のように2：1の長さで演奏します。また、「バウンス」とも呼ばれています。

♩ = ♫ = ♩♪（3連符）
タン　タ タ　タ ー タ
スウィング
（バウンス）

広い河の岸辺 ~ The Water Is Wide ~　クミコ

スコットランド民謡／八木倫明：訳詞／泉田由美子：編曲

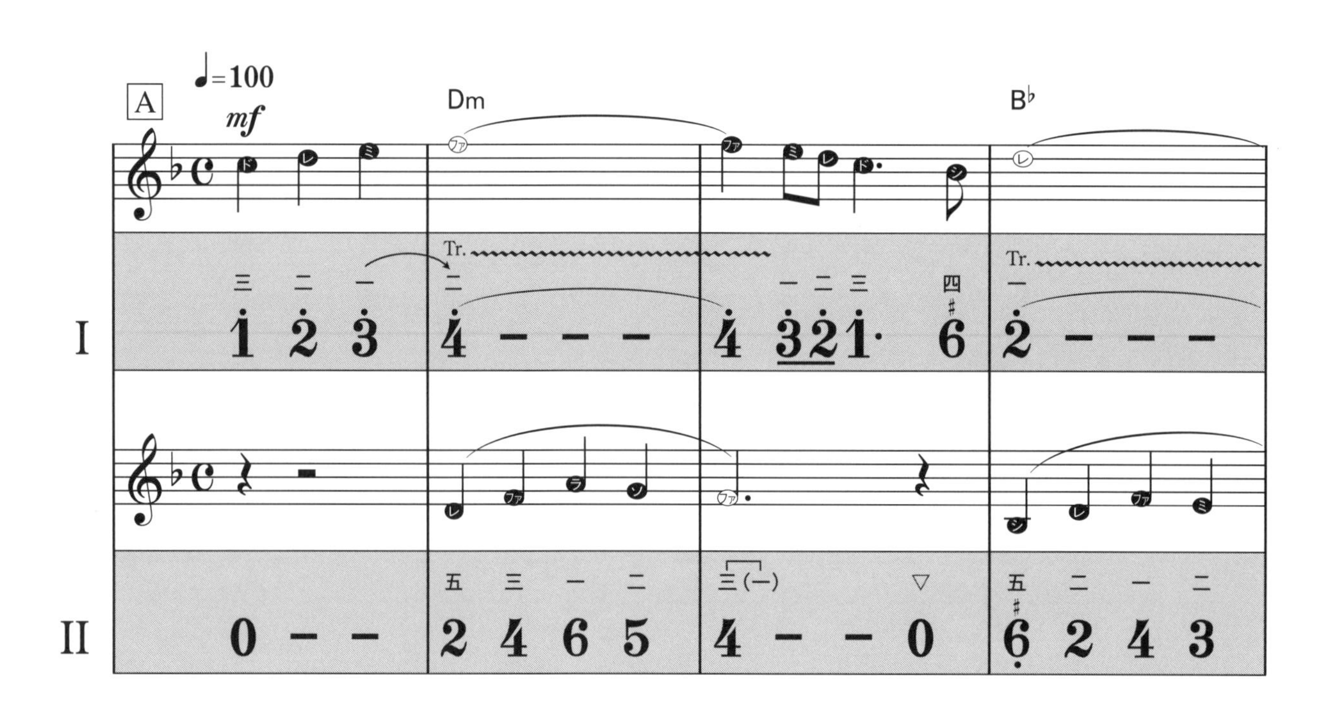

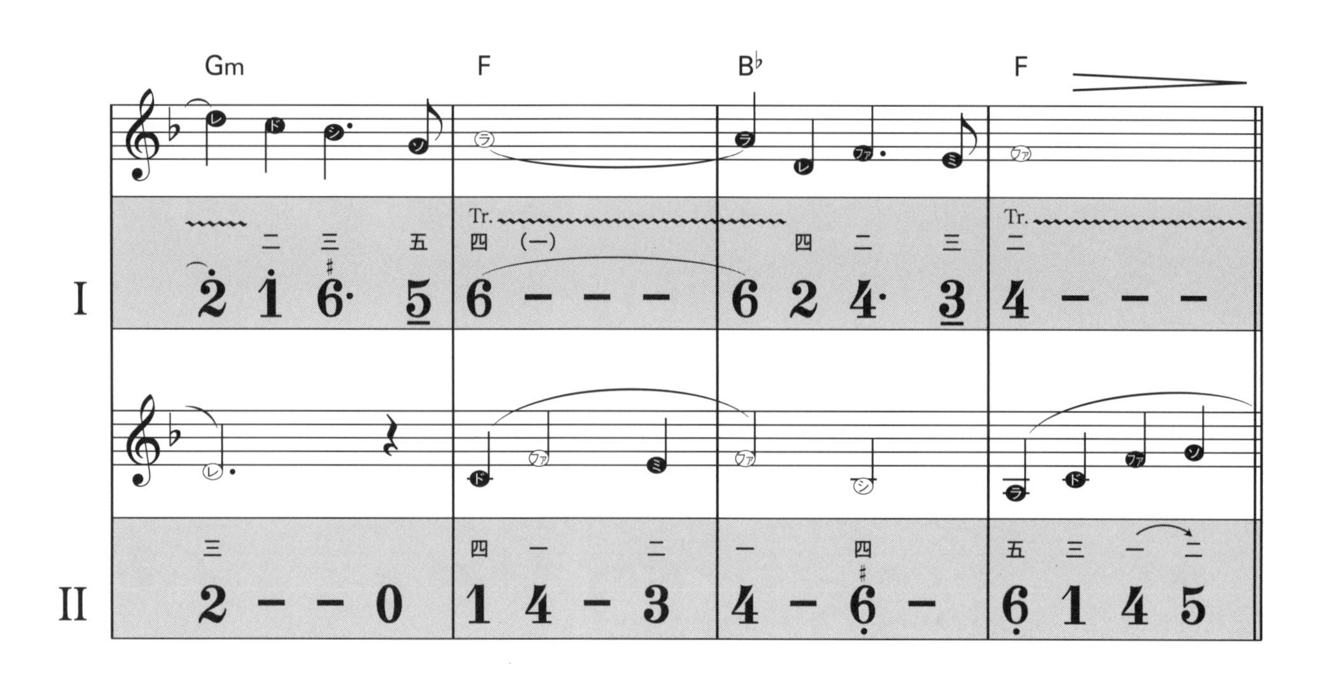

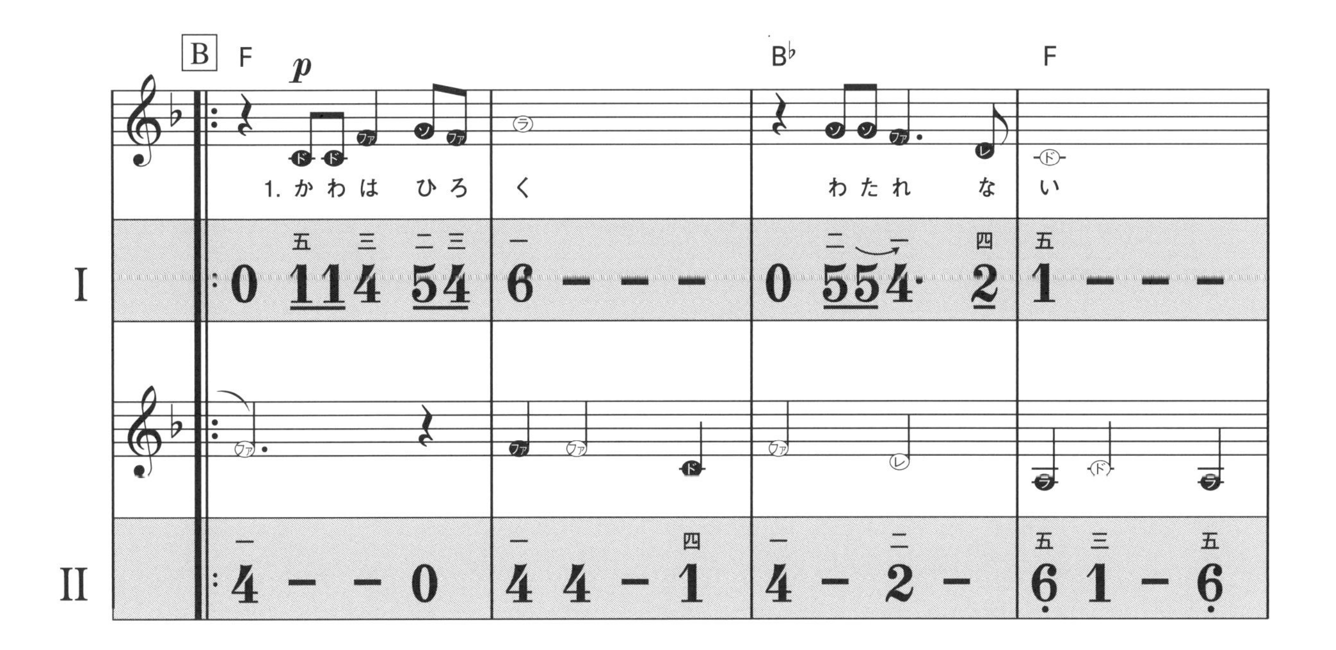
B
F
p
B♭
F
1. かわは ひろ く
わたれ な い
I
0 114 54 6 – – – 0 554· 2 1 – – –
II
4 – – 0 4 4 – 1 4 – 2 – 6 1 – 6

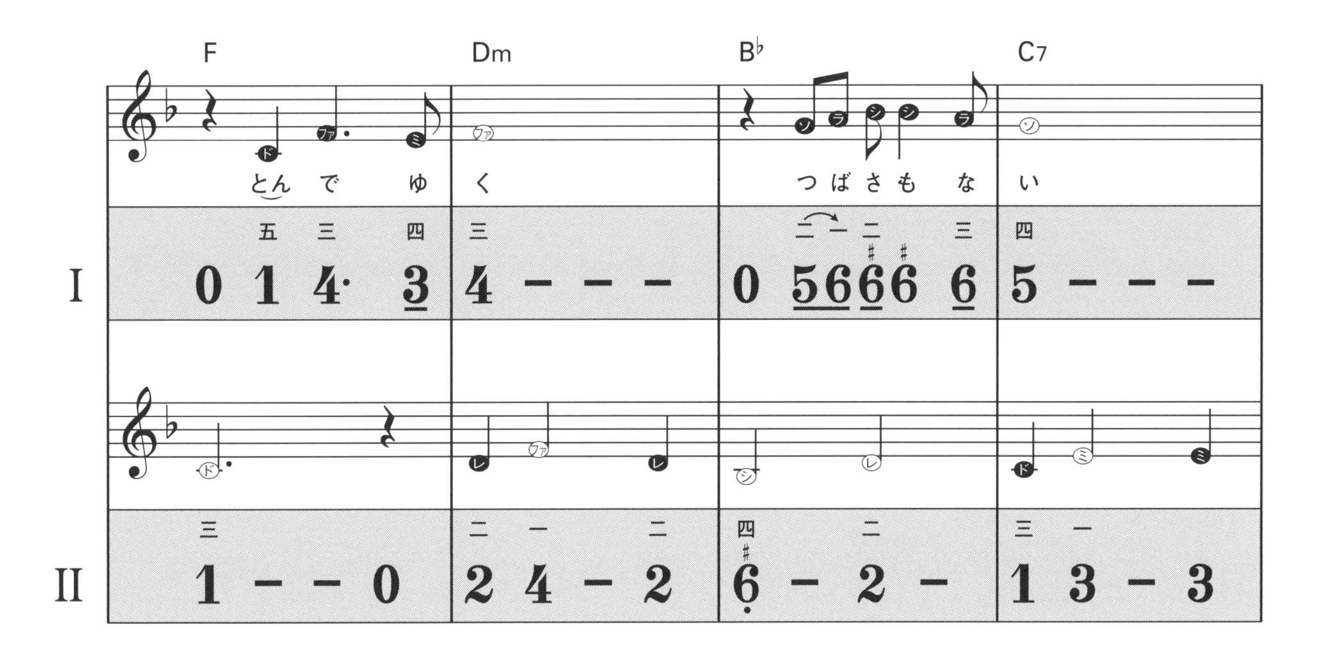
F
Dm
B♭
C7
とんで ゆ く
つばさも な い
I
0 1 4· 3 4 – – – 0 5666 6 5 – – –
II
1 – – 0 2 4 – 2 6 – 2 – 1 3 – 3

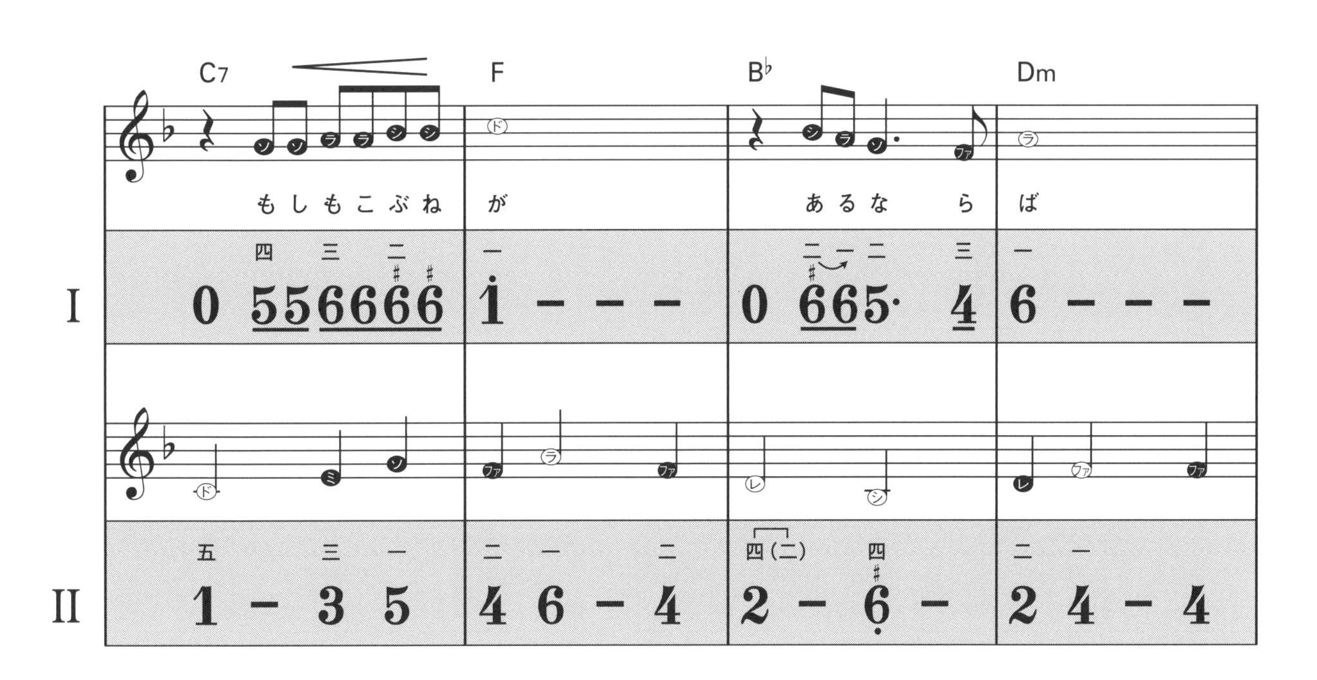
C7
F
B♭
Dm
もしもこぶね が
あるな ら ば
I
0 556666 1 – – – 0 665· 4 6 – – –
II
1 – 3 5 4 6 – 4 2 – 6 – 2 4 – 4

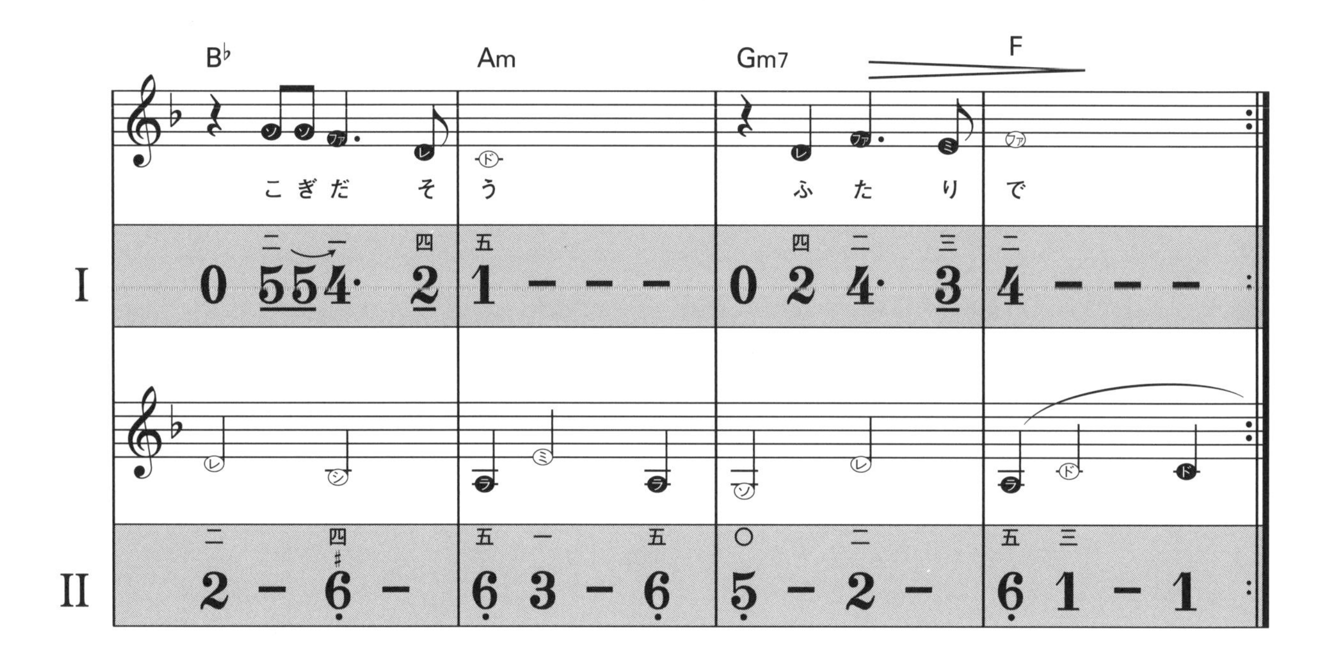
B♭ Am Gm7 F
こぎだ そう ふたり で
I
II

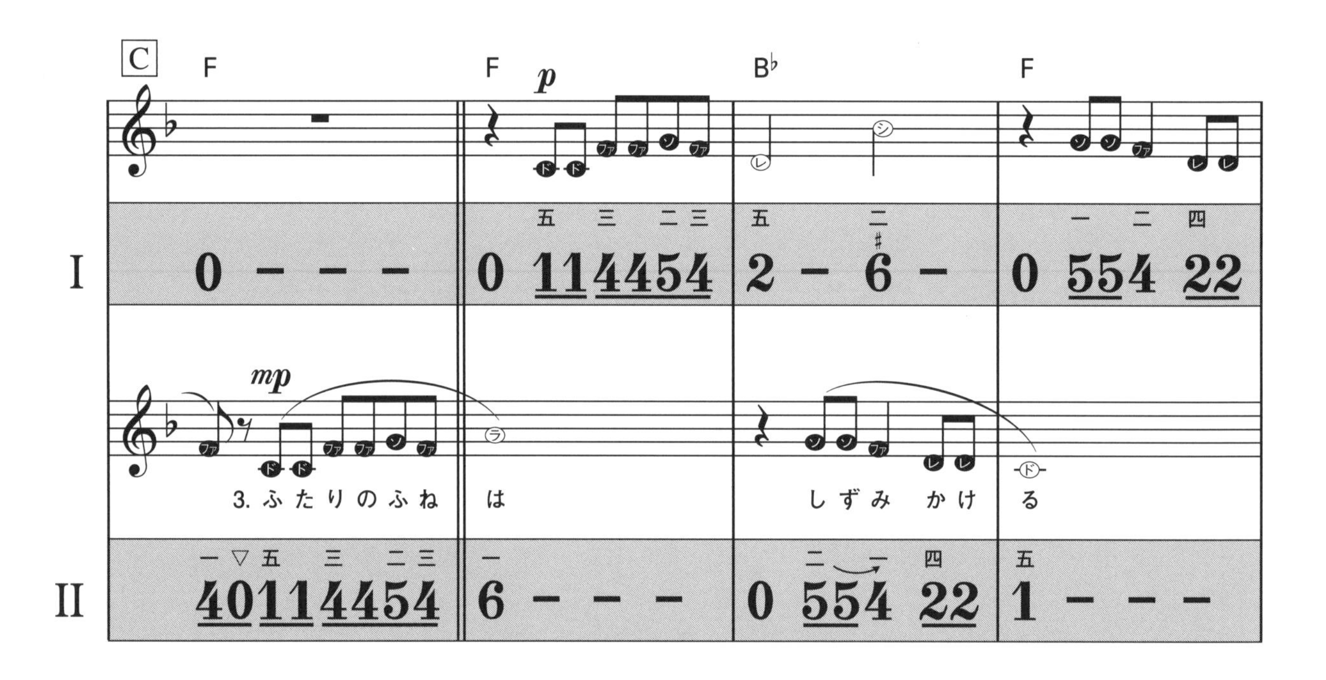
C
F F B♭ F
p
mp
3. ふたりのふね は しずみ かけ る
I
II

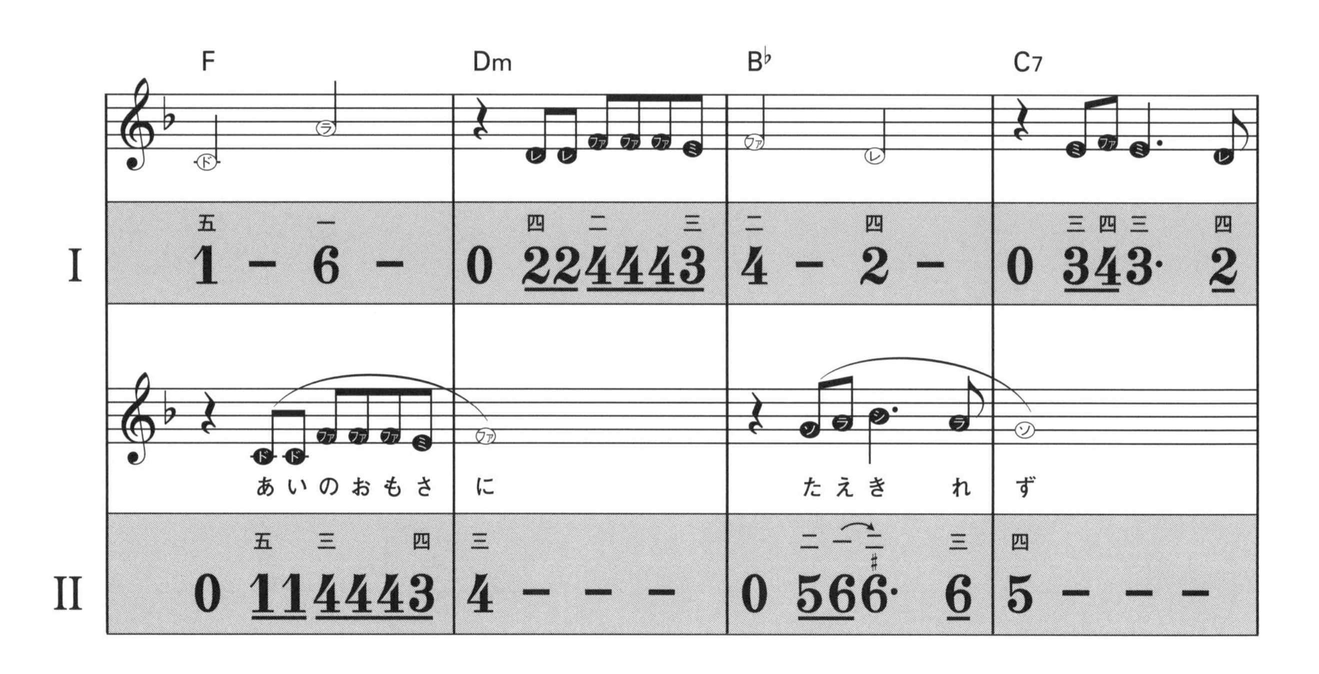
F Dm B♭ C7
あいのおもさ に たえき れ ず
I
II

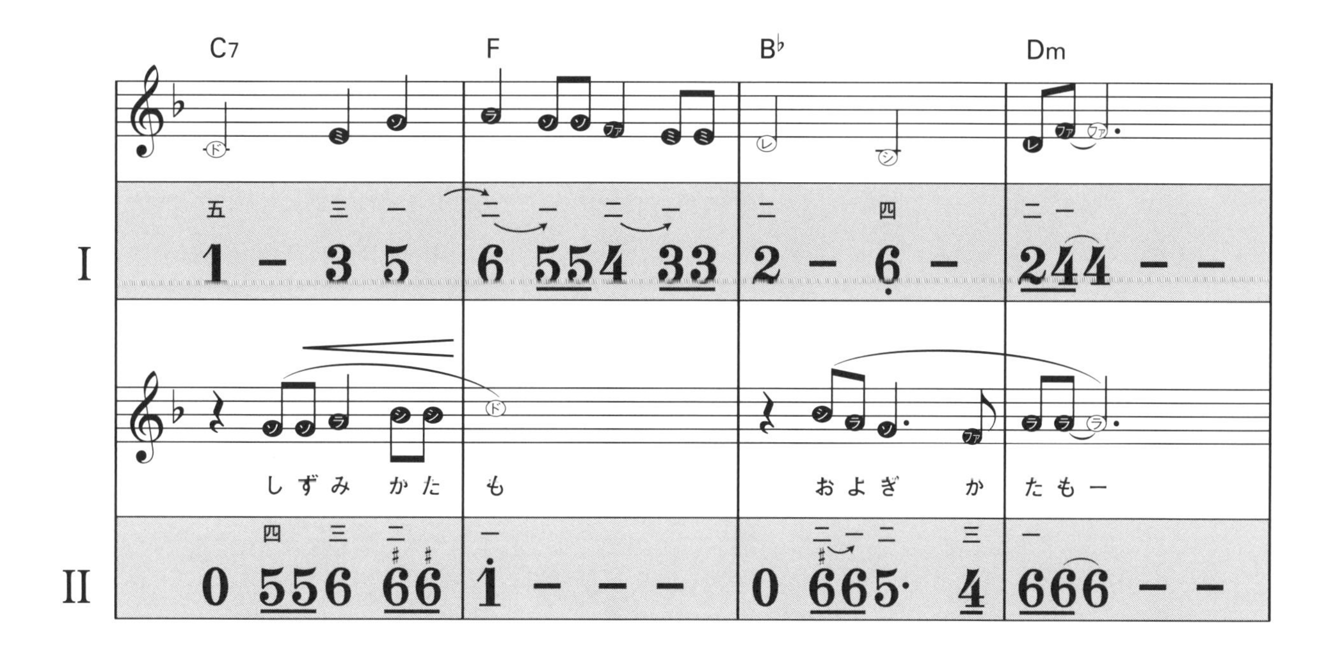
C7
F
B♭
Dm
I
しずみかた
も
およぎ
か
たもー
II

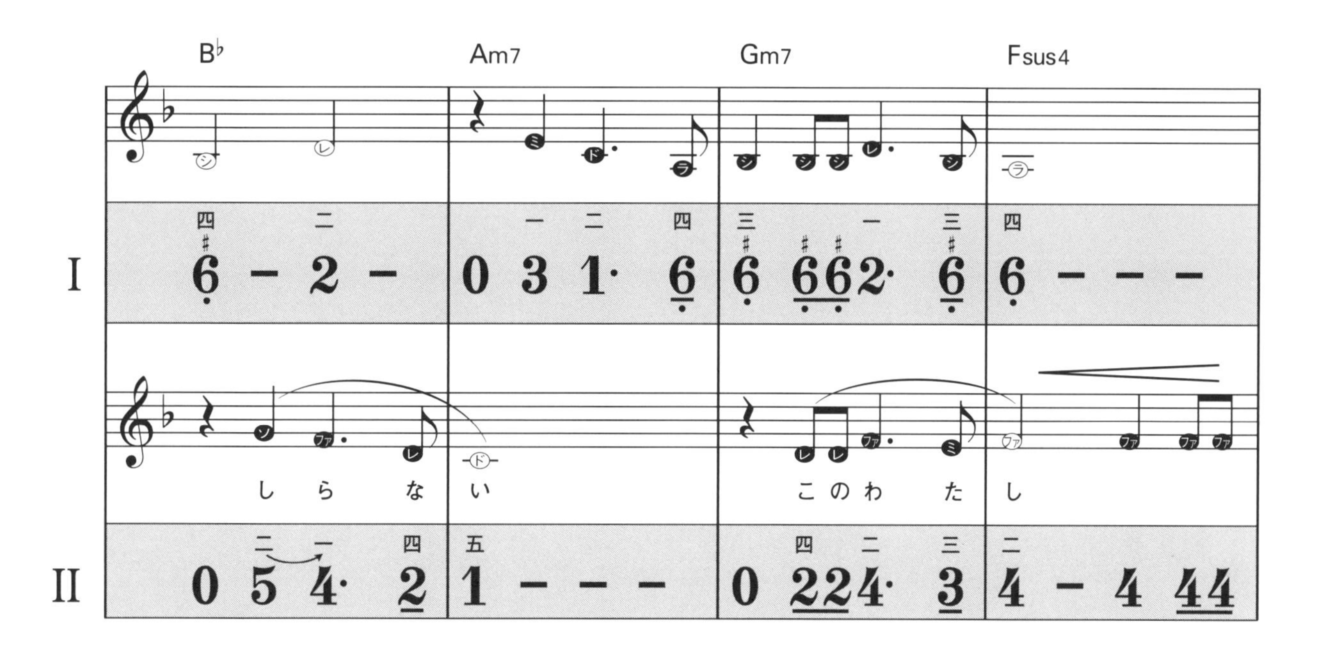
B♭
Am7
Gm7
Fsus4
I
しらな
い
このわた
し
II

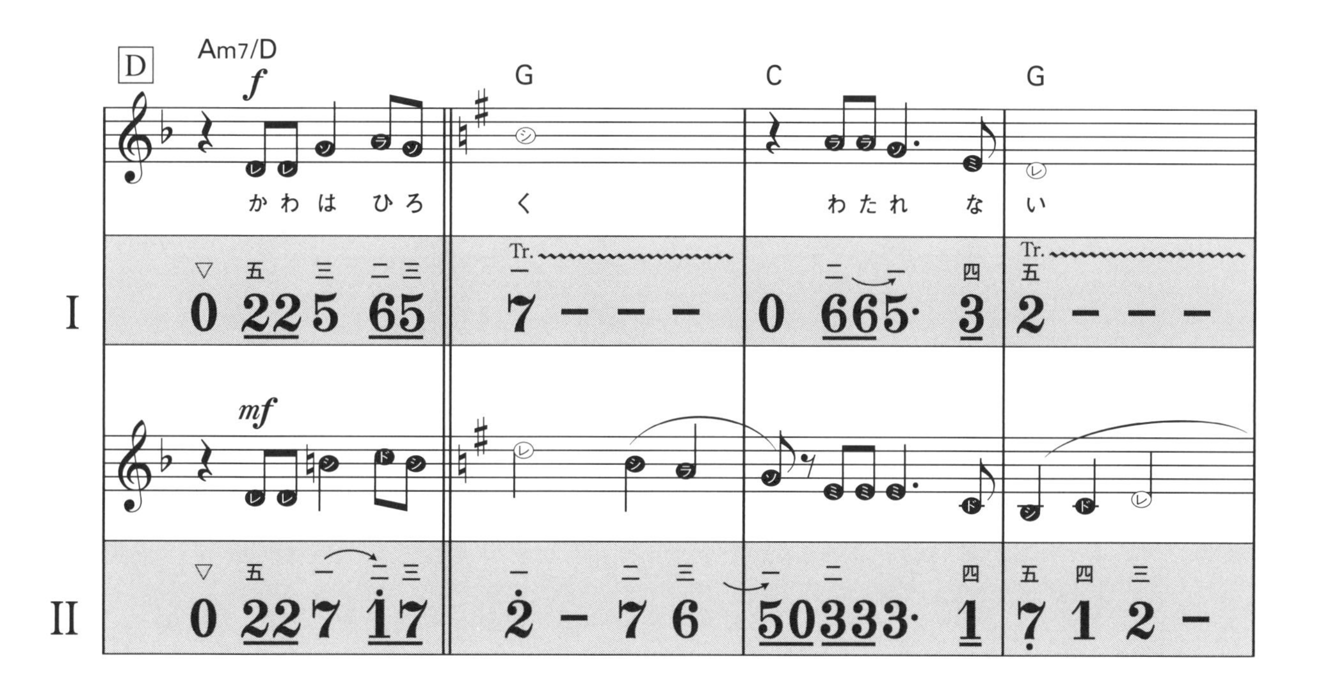
D
Am7/D
G
C
G
f
かわはひろ
く
わたれ
な
い
Tr.
I
mf
II

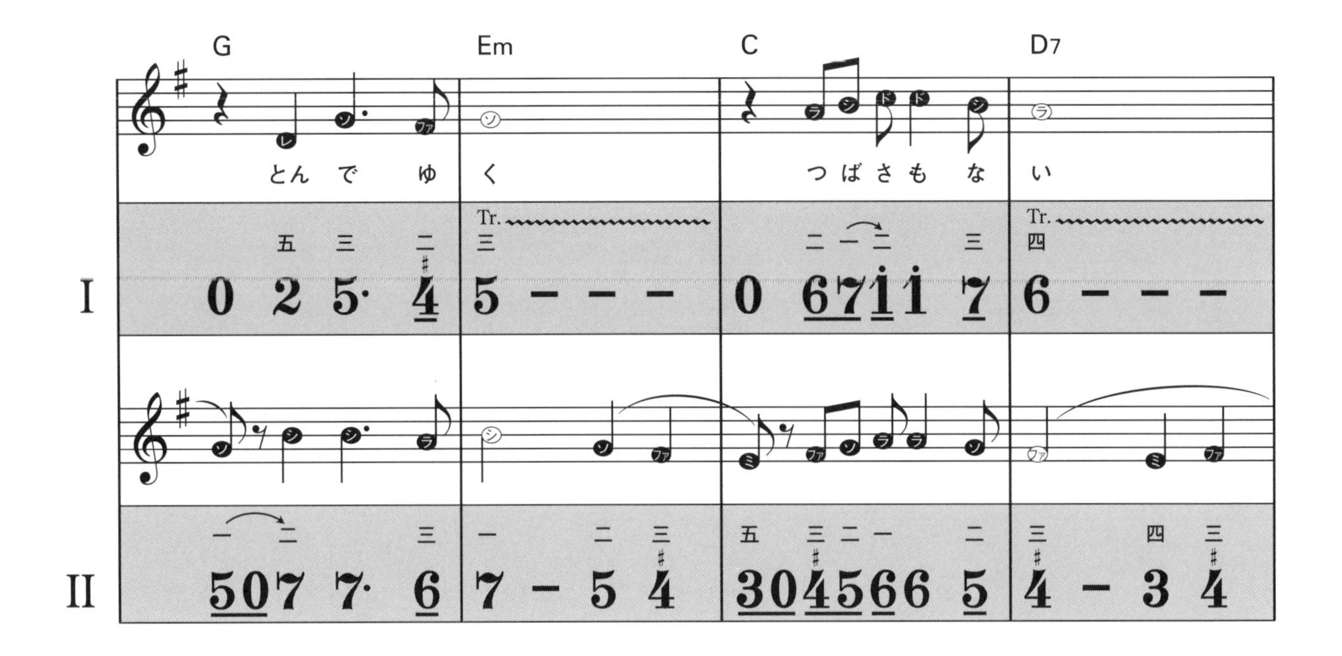
G
Em
C
D7
とんでゆく
つばさもない
I
II

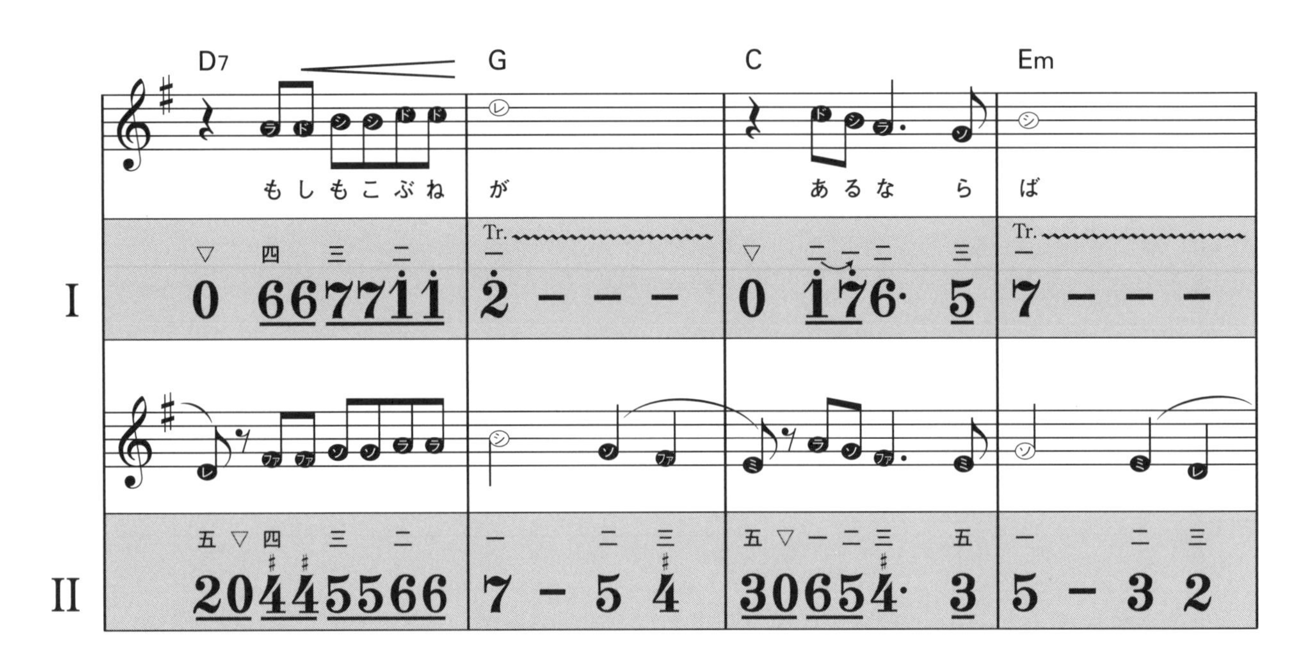
D7
G
C
Em
もしもこぶねが
あるならば
I
II

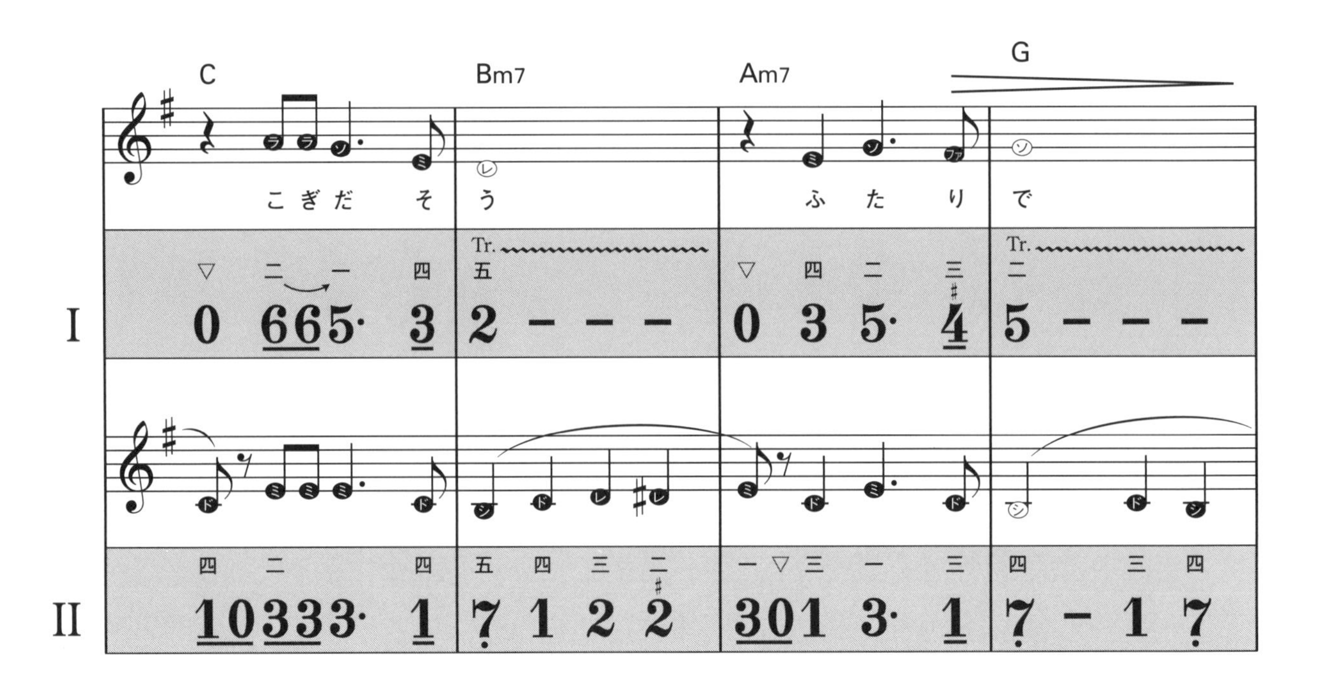
C
Bm7
Am7
G
こぎだそう
ふたりで
I
II

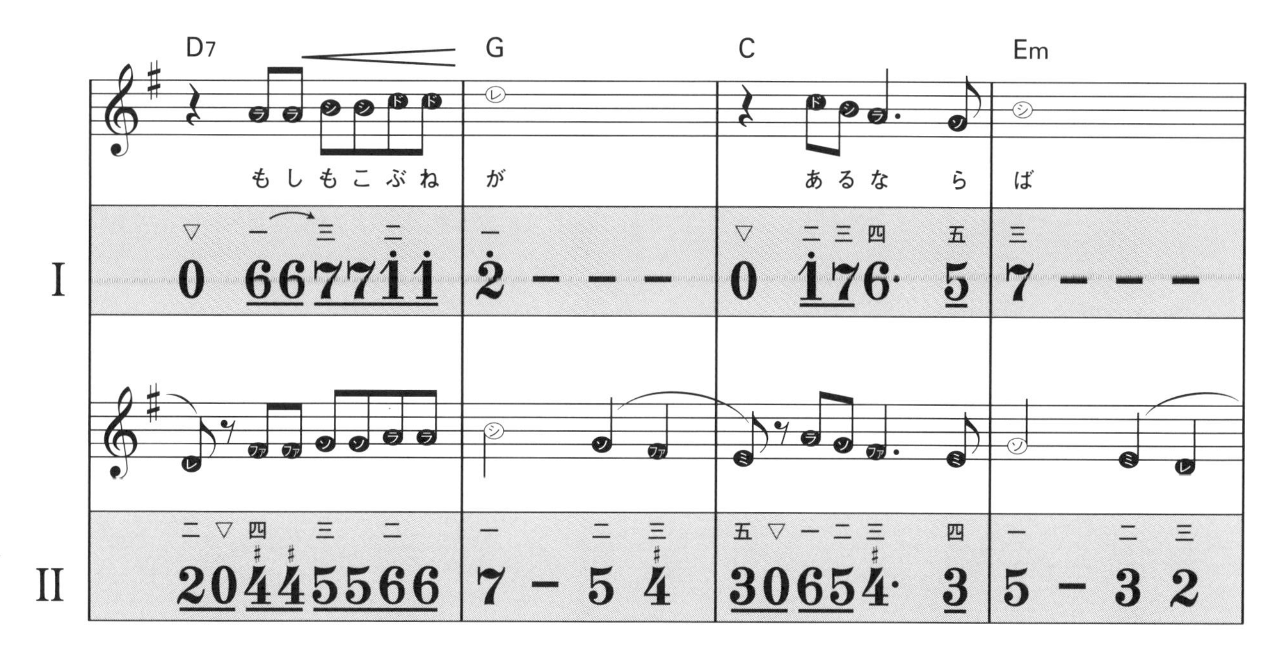

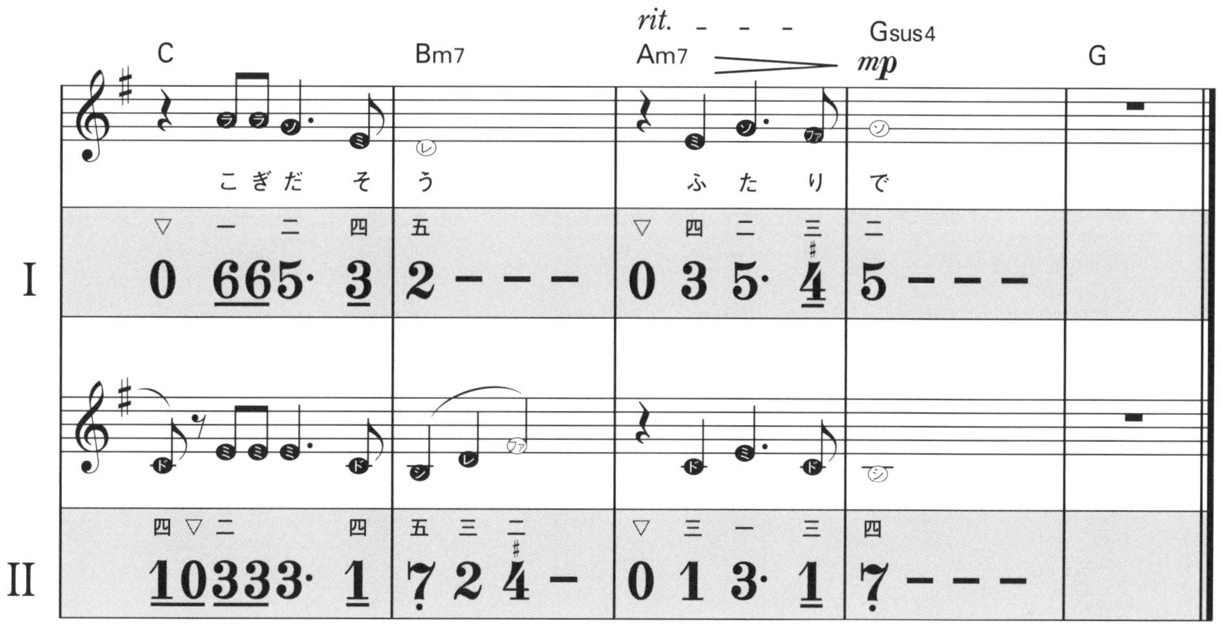

2番は「繰り返し記号（𝄆）」→B からです。歌詞により1番とは若干リズムが異なります。以下に歌詞を記しておきます。

2. 愛の始まりは 美しく 優しく 花の様
時の流れに　色褪せて
朝露と　消えて行く

1番と3番の歌詞は、楽譜に載っています。

演奏のポイント

２部合奏です。メロディは、Ⅰパート、Ⅱパートが交互に出てきます。メロディパートは、伴奏部分より常に人数を増やしてください。

Tr.…トレモロ部分→優しく、柔らかく演奏しましょう。

NHK 朝の連続テレビ小説「花子とアン」で、吉高由里子演じる主人公・村岡花子が学生時代に出会う楽曲として使われ話題になった曲です。

原曲名（The Water Is Wide）は、スコットランドに起源をもつ民謡であり、歌詞の一部は 17 世紀に起源をもつとされています。21 世紀に至っても世界中で人気を保っている楽曲で、今回、八木倫明氏の素敵な訳詩により漸く（ようや）日本でも歌われるようになりました。

荒城の月

土井晩翠：作詞／滝廉太郎：作曲／泉田由美子：編曲

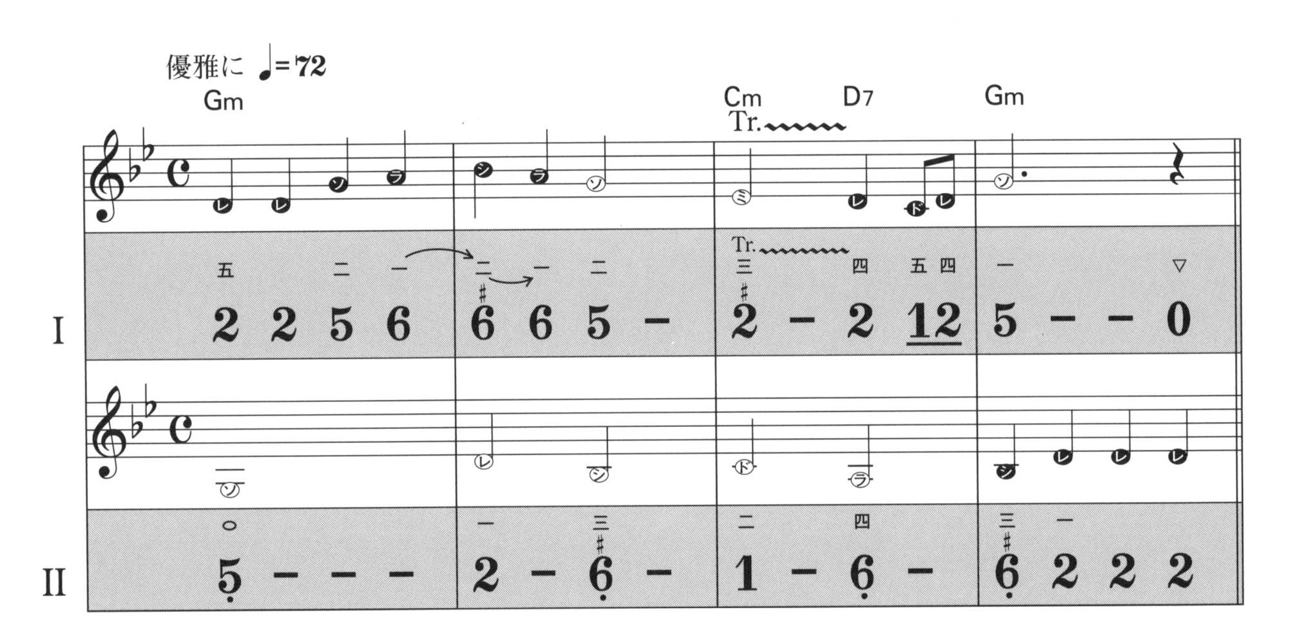

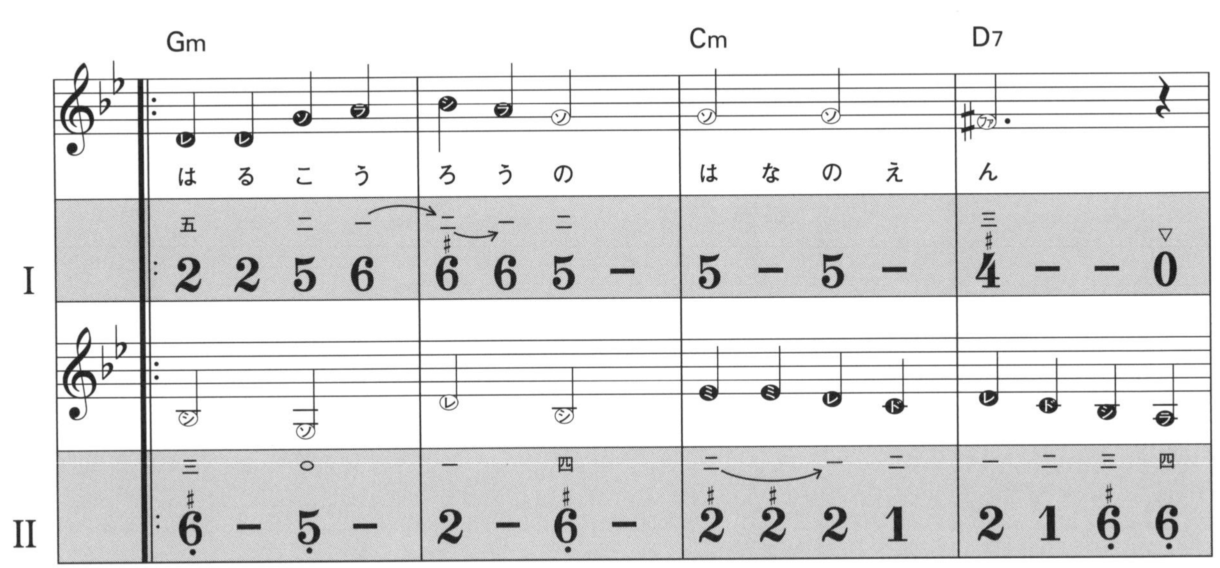

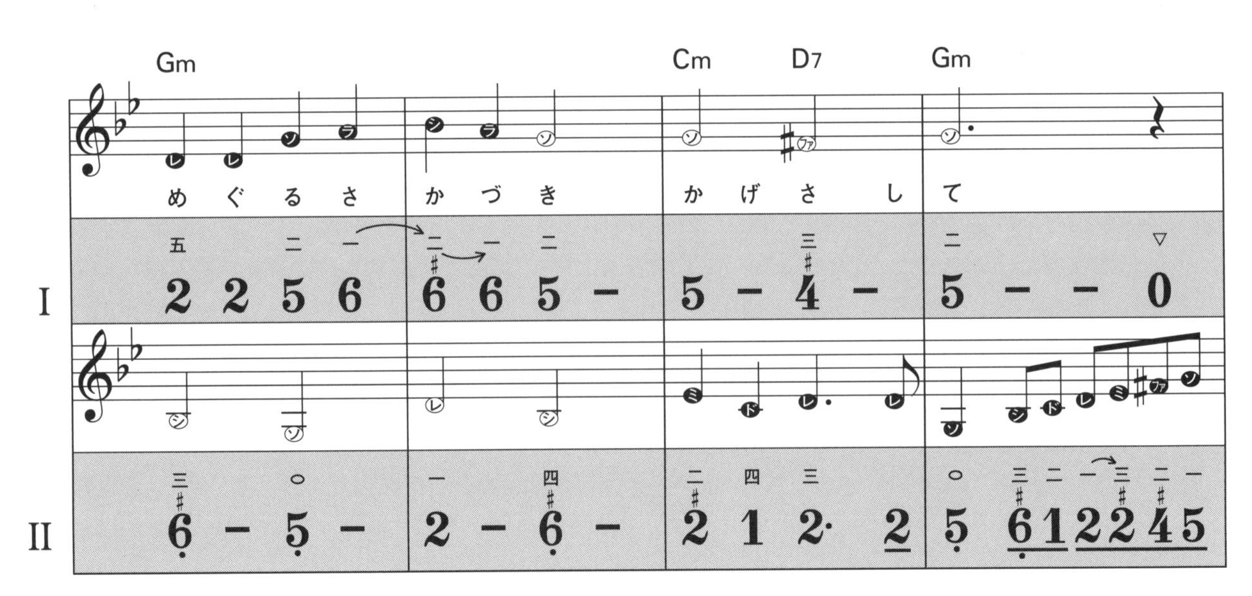

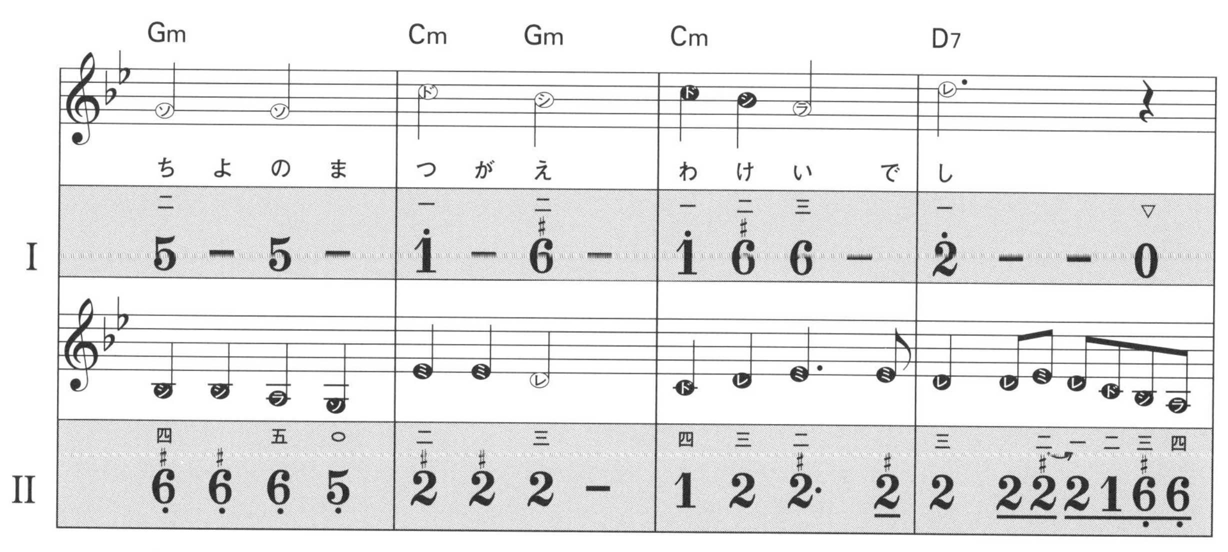

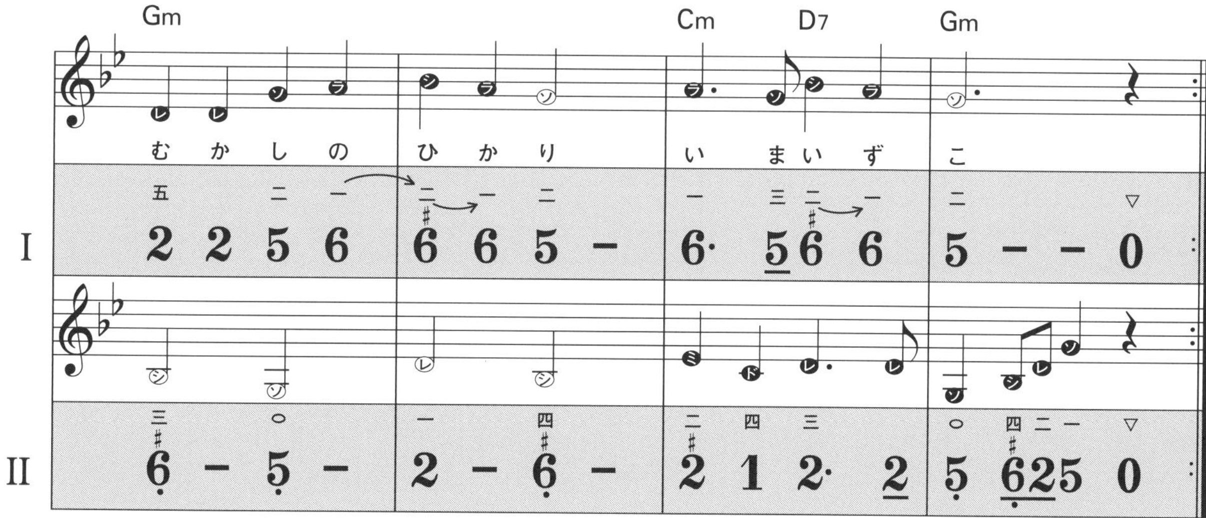

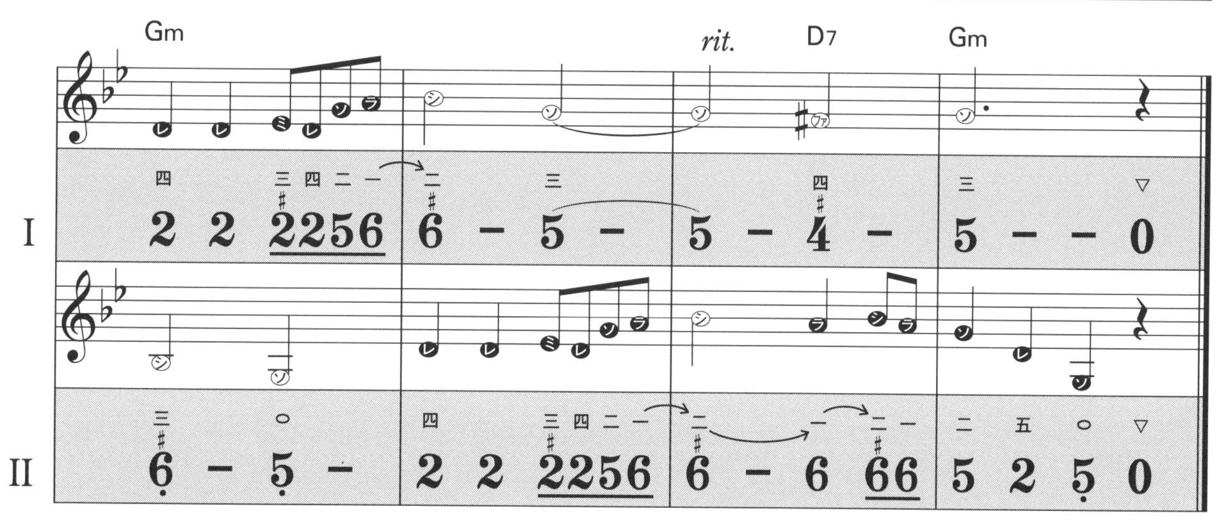

1 春高楼の　花の宴　めぐる盃　影さして
千代の松が枝　わけい出し
昔の光　今いずこ

2 秋陣営の　霜の色　鳴き行く雁の　数見せて
植うるつるぎに　照りそいし
昔の光　今いずこ

3 今荒城の　夜半の月　変わらぬ光　たがためぞ
垣に残るは　ただかずら
松に歌うは　ただ嵐

4 天上影は　変わらねど　栄枯は移る　世の姿
写さんとてか　今もなお
ああ荒城の　夜半の月

演奏のポイント

I部・II部両方にメロディや間奏が出てきますので、主旋律がはっきり聴こえるように、良く音を聴き合い音量のバランスに注意して演奏しましょう。

歌詞を味わい、情景を頭に描きながら、落ち着いてゆっくりと一つずつの音を大切に弾きましょう。

※I部・II部のメロディ・パートを辿って演奏すると、ソロ用の曲になります。

大きな古時計

保富康午：訳詞／ワーク：作曲／泉田由美子：編曲

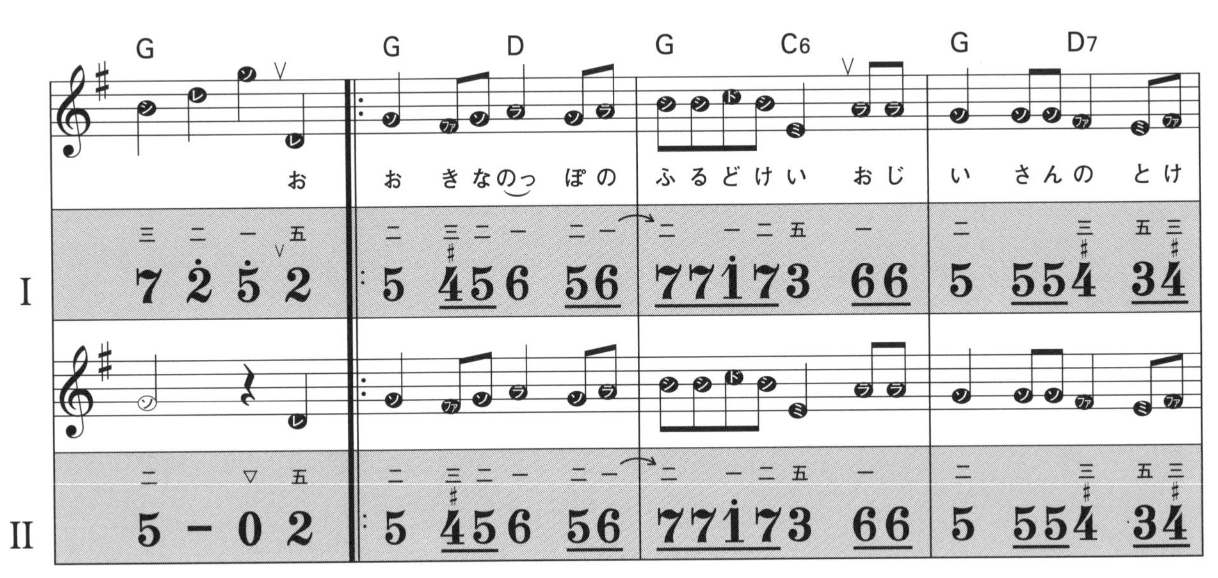

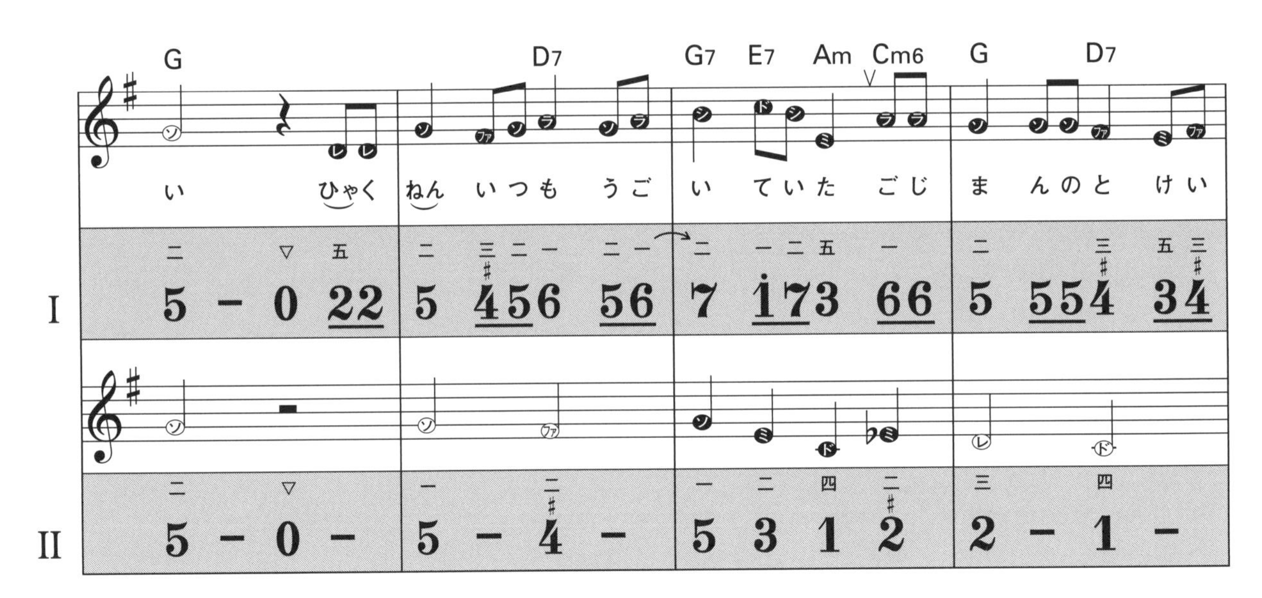

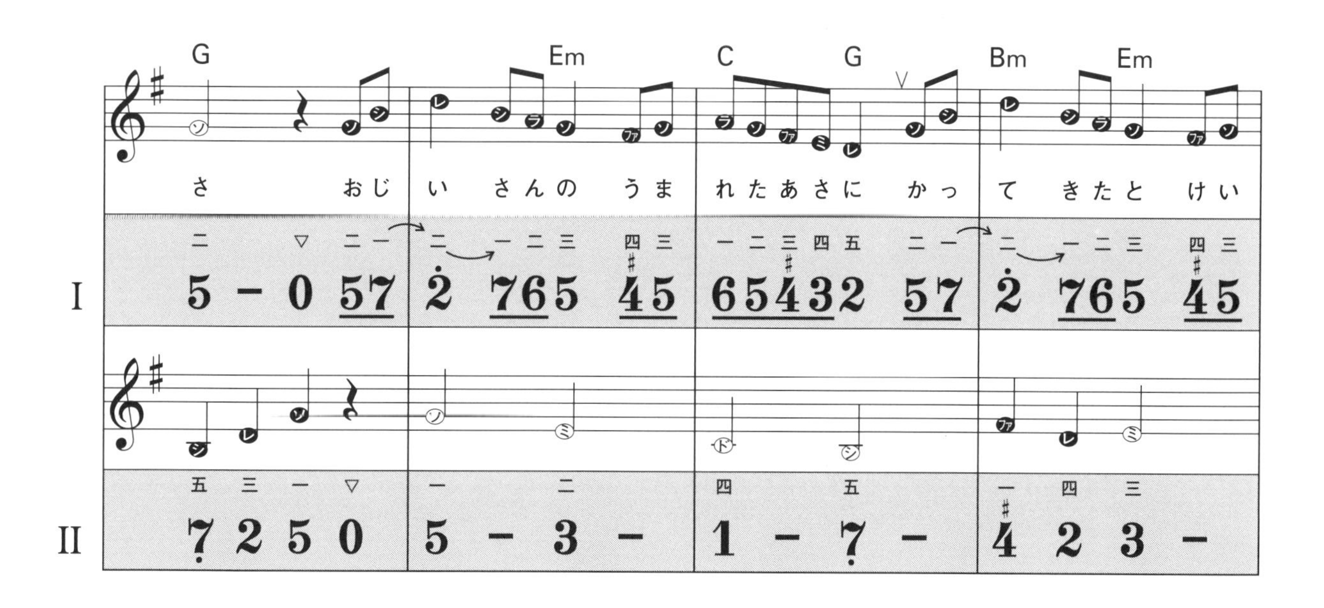
G Em C G Bm Em
さ おじ い さんの うま れたあさに かっ て きたと けい
I
5 − 0 57 2 765 45 65432 57 2 765 45
II
7 2 5 0 5 − 3 − 1 − 7 − 4 2 3 −

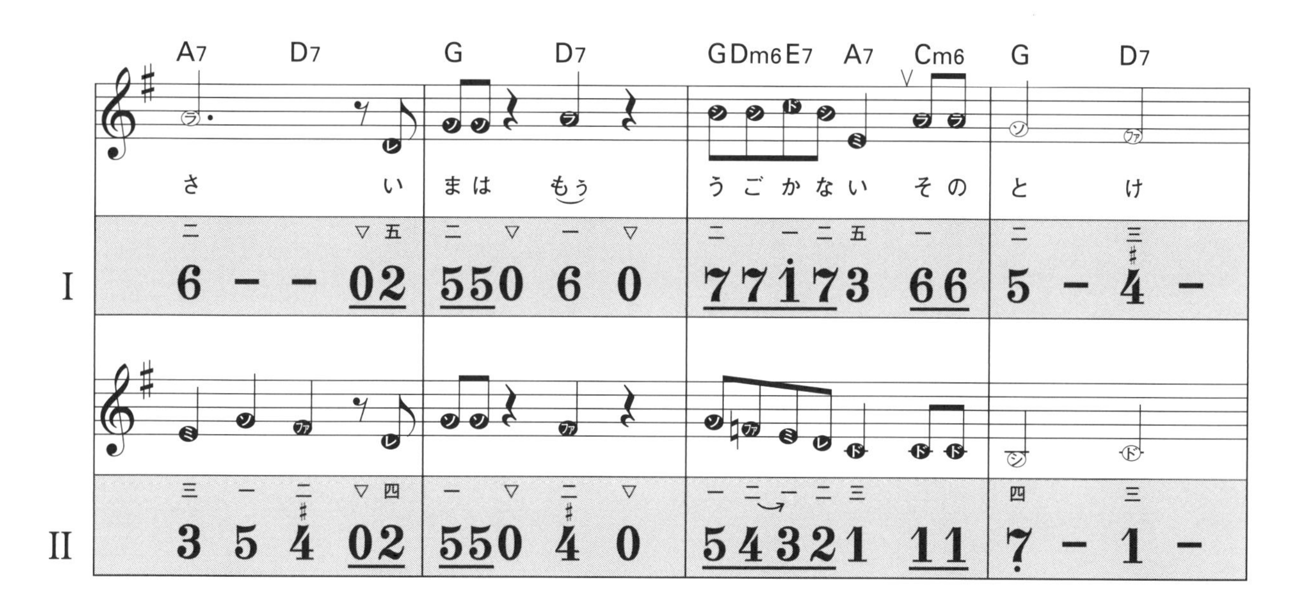
A7 D7 G D7 G Dm6 E7 A7 Cm6 G D7
さ い まは もう うごかない その と け
I
6 − − 02 550 6 0 77173 66 5 − 4 −
II
3 5 4 02 550 4 0 54321 11 7 − 1 −

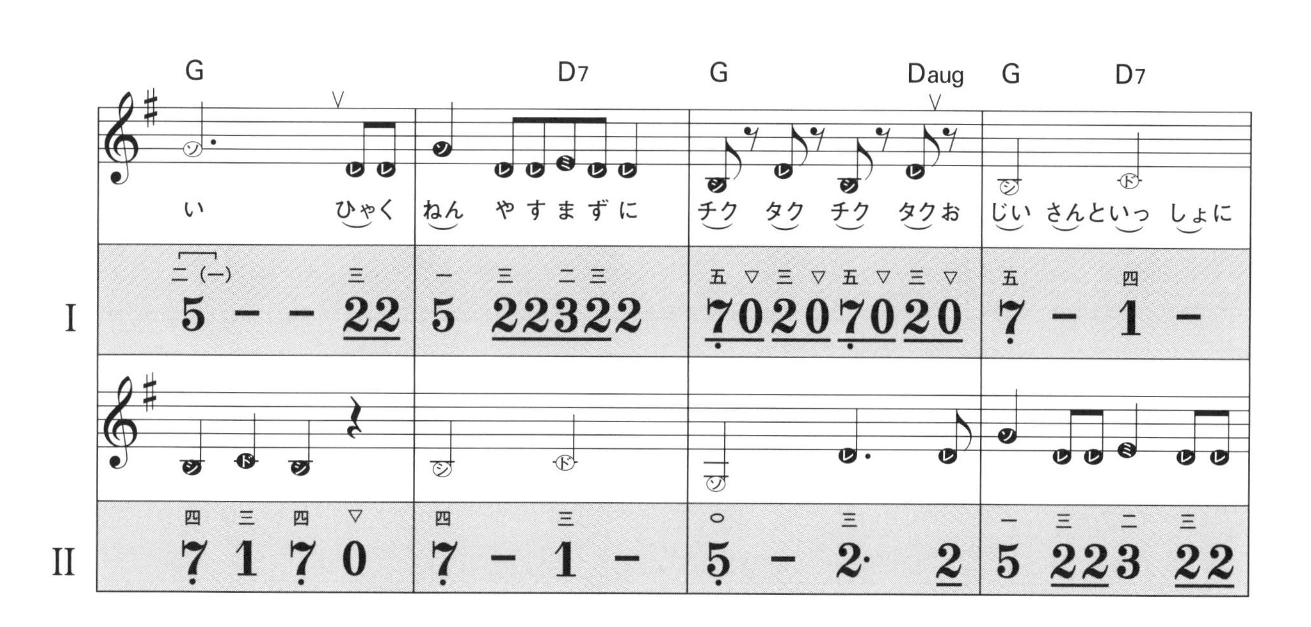
G D7 G Daug G D7
い ひゃく ねん やすまずに チク タク チク タクお じい さんといっ しょに
I
5 − − 22 5 22322 70207020 7 − 1 −
II
7 1 7 0 7 − 1 − 5 − 2· 2 5 223 22

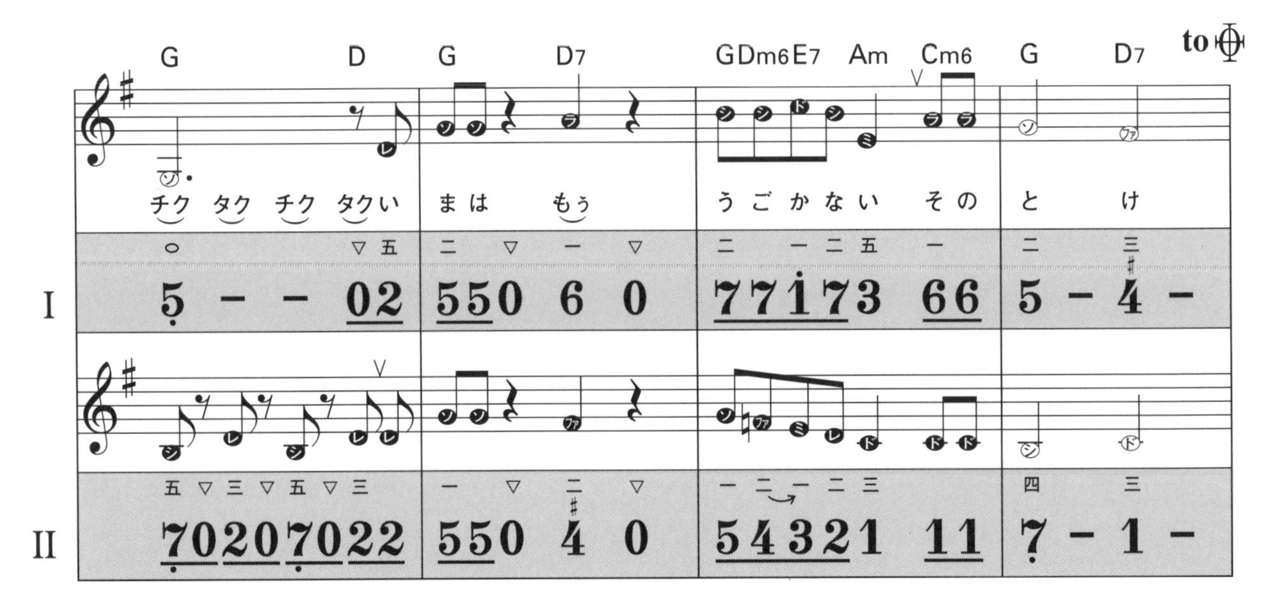

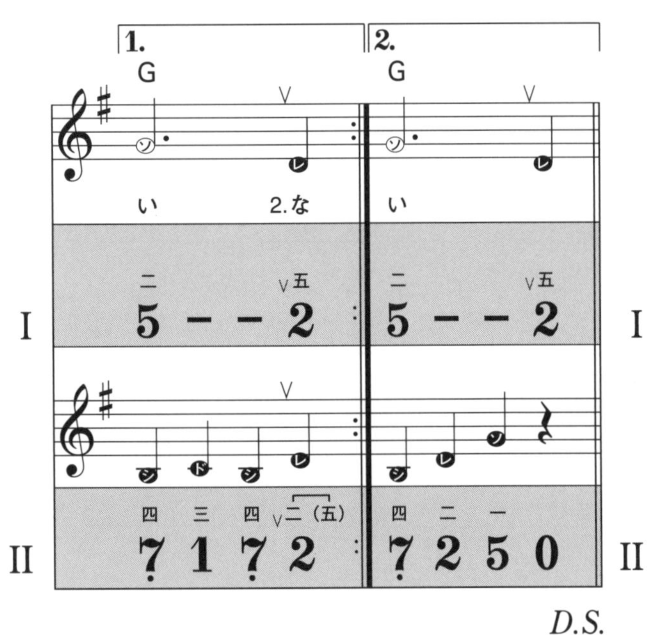

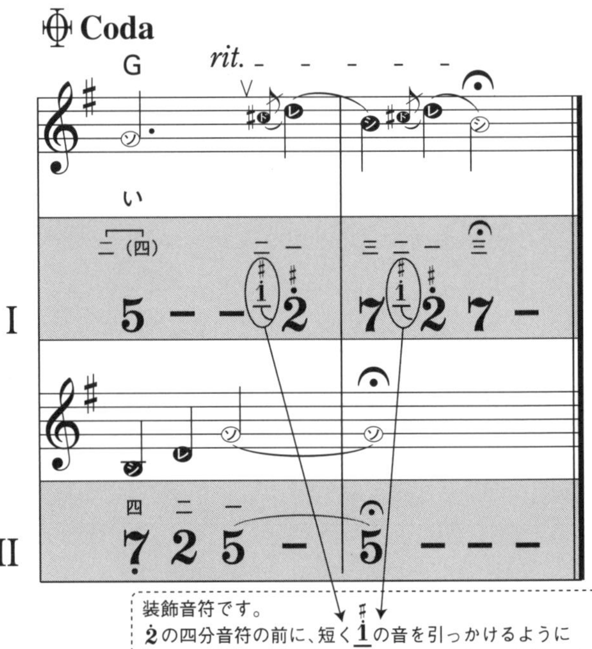

装飾音符です。
2の四分音符の前に、短く1の音を引っかけるように「スラー弾き」で弾きましょう。2つの音符で1拍分です。

2 何でも知ってる　古時計　おじいさんの　時計
きれいな花嫁やってきた　その日も動いてた
うれしいことも　悲しいことも　みな知ってる　時計さ
いまは　もう動かない　その時計
百年　休まずに　チク　タク　チク　タク
おじいさんと　いっしょに　チク　タク　チク　タク
いまは　もう動かない　その時計

3 真夜中に　ベルがなった　おじいさんの　時計
お別れのときがきたのを　みなにおしえたのさ
天国へのぼる　おじいさん　時計とも　お別れ
いまは　もう動かない　その時計
百年　休まずに　チク　タク　チク　タク
おじいさんと　いっしょに　チク　タク　チク　タク
いまは　もう動かない　その時計

演奏のポイント

2部奏になっていますが、I部のみを弾くと、ソロ用の曲になります。

こらむ

大正琴の演奏会／ヴィオリラ（Violyre）について

▶大正琴の演奏会

大正琴はきわめて多くの流派・団体が存在し、流派を束ねる協会組織もあります。そして、それぞれの流派では「地域活動⇒国内各地⇒海外での演奏活動」へと広がり、活発に動いています。演奏会情報は各流派のホームページや自治体広報紙等のお知らせ、友人からの情報を得て、会場で実際の演奏を聴いてみましょう。最近では You Tube でも、たくさんの演奏を聴くことができます。

首都圏の方々には、東京新聞社主催の大正琴フェステイバル、「**名流祭**」がオススメです。毎年 10 月の後半に「浅草公会堂」にて、全国の現代大正琴を代表する流派が集まり、たのしい演奏会を開催しています。「多くの仲間と音楽を楽しむことが大正琴の目的」を掲げ、2017 年秋には第 25 回目が開催されました。毎回約 10 ～ 12 流派・団体の出演があり、子供～大人の出演者により、日本最先端の様々な演奏を鑑賞することができます。

第 22 回 東京新聞「名流祭」より
撮影：木村 実

▶ヴィオリラ（Violyre）について

みなさん「ヴィオリラ」はご存じですか？従来の大正琴をさらに改良して作られた、いわば“**大正琴の進化系**”の楽器です。大正琴の仕組みとサイレントバイオリンなどの弓奏弦楽器の音作りのノウハウが合体した、新しい発想の**弦楽器**です。従来の「ピック弾き」以外にも、さまざまな奏法があります。

- **弓奏** ………………一番の特徴は、弓奏法です。付属のバイオリンの弓で弾くとバイオリンやチェロに似た音色が出せます。
- **指奏** ………………音をミュートしながら弾くと、沖縄の三線に似た音色が出ます。指で弦を奏でると、マンドリンやギターに似た優しい音色を楽しめます。
- **スティック奏** ……スティック、マレットを持って弾くと、ダルシマーに似た音色が出ます。

また、弦を弾いてから、音階キーを左右に揺らすと、心地良いヴィブラートをかけることができます。

ヴィオリラの胴体は、響き穴がありません。そのため、大正琴のような**共鳴弦は無く**、通常は 4 本の弦を張って演奏します。

また、張っている弦の太さを変えることにより、ベースやテナーを加えた弦楽四重奏などのアンサンブルも楽しむことができます。ヴィオリラはノーマルとベースの二種類があります。

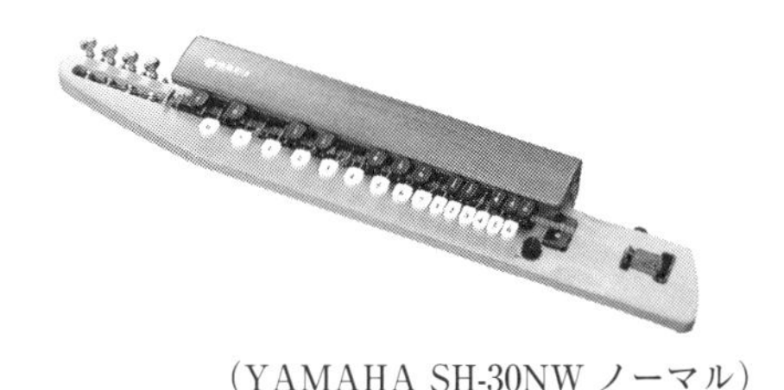

（YAMAHA SH-30NW ノーマル）

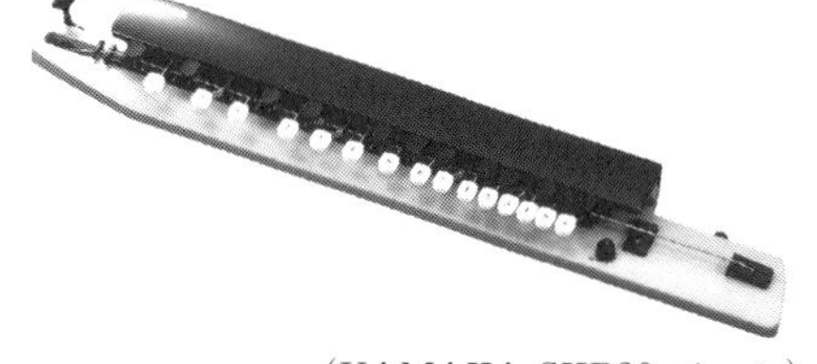

（YAMAHA SHB30 ベース）

大正琴の楽曲に多く使われる調

応用編

大正琴は、「ソ（5）」の音を開放弦としているため、**ト長調**や、**ト短調**の楽曲が非常によく弾かれます。その他にも良く使われる調（キー）を挙げてみました。指練習を兼ねて、できる方は全キーを続けて弾いてみましょう。

はじめは、ゆっくりめのテンポで弾き、慣れてきたら速度を上げていきましょう。メトロノームを使いながらの練習をおすすめします。

①ハ長調（Cメジャー）

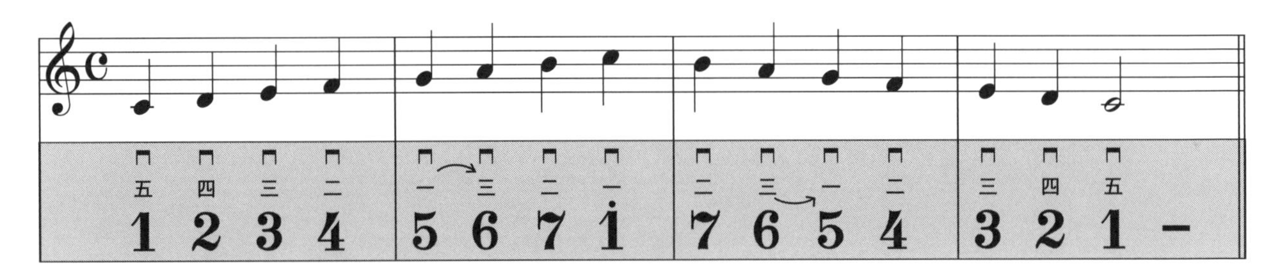

①-a ハ短調（Cマイナー）：和声的短音階

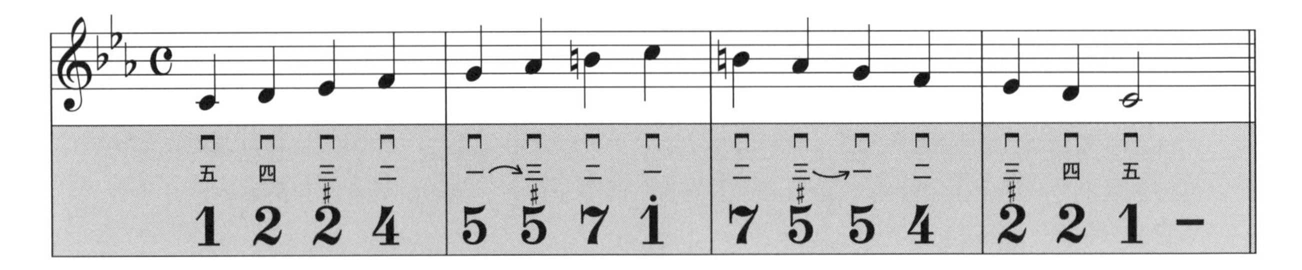

①-b ハ短調（Cマイナー）：旋律的短音階

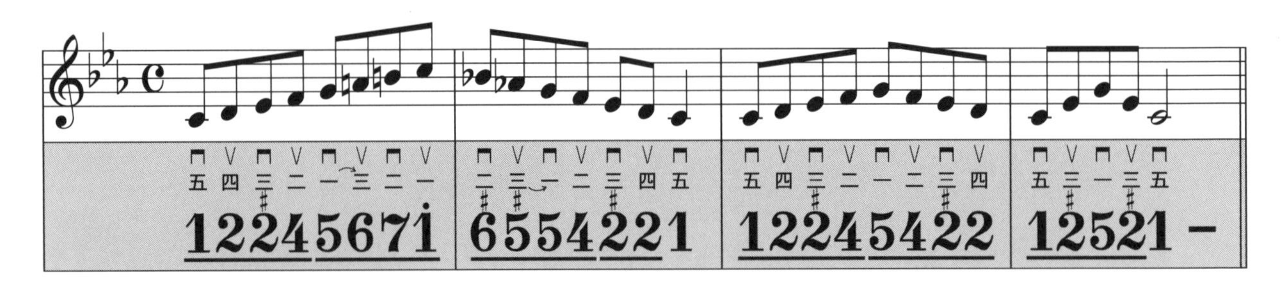

②ト長調（Gメジャー）

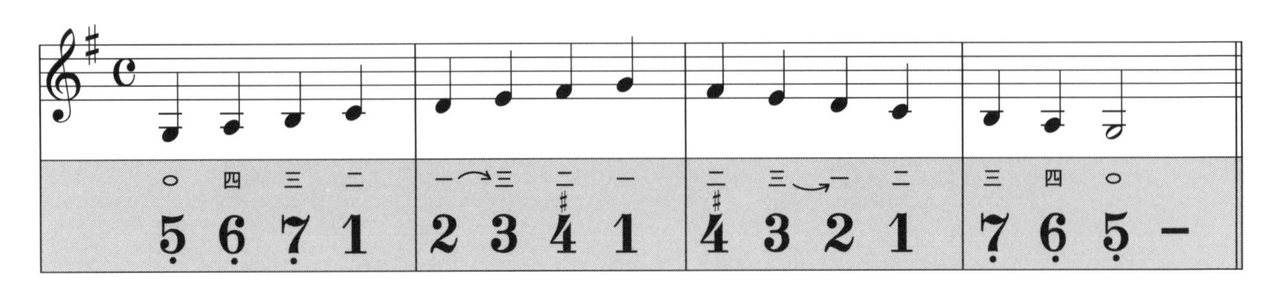

② -a ト短調（G マイナー）: 和声的短音階

○ 四 三 二 | 一 三 二 一 | 二 三 一 二 | 三 四 ○

5 6 6 1 | 2 2 4 5 | 4 2 2 1 | 6 6 5 −

② -b ト短調（G マイナー）: 旋律的短音階

○ 四 三 二 一 三 二 一 | 二 三 一 二 三 四 ○ | ○ 四 三 二 一 二 三 四 | ○ 三 一 三 ○

56612345 | 42216665 | 56612166 | 56265 −

③ -a イ短調（A マイナー）: 和声的短音階

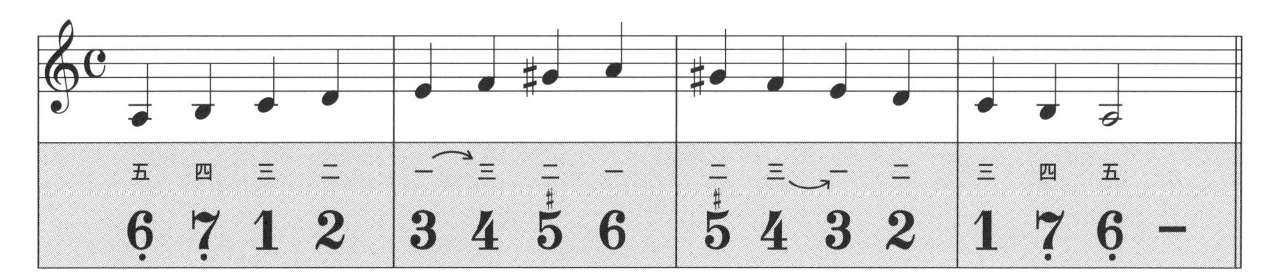

③ -b イ短調（A マイナー）: 旋律的短音階

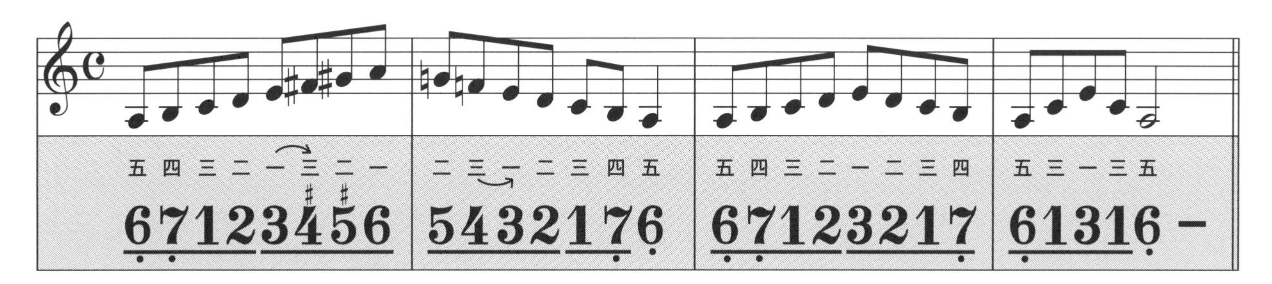

④ニ長調（D メジャー）

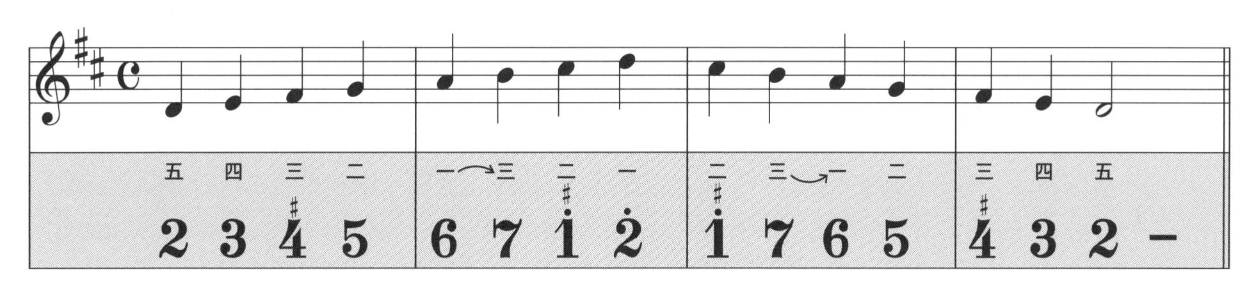

④-a ニ短調（Dマイナー）：和声的短音階

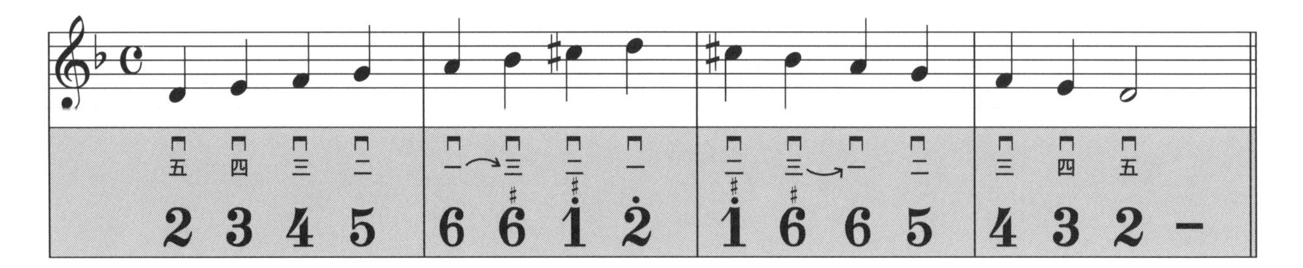

④-b ニ短調（Dマイナー）：旋律的短音階

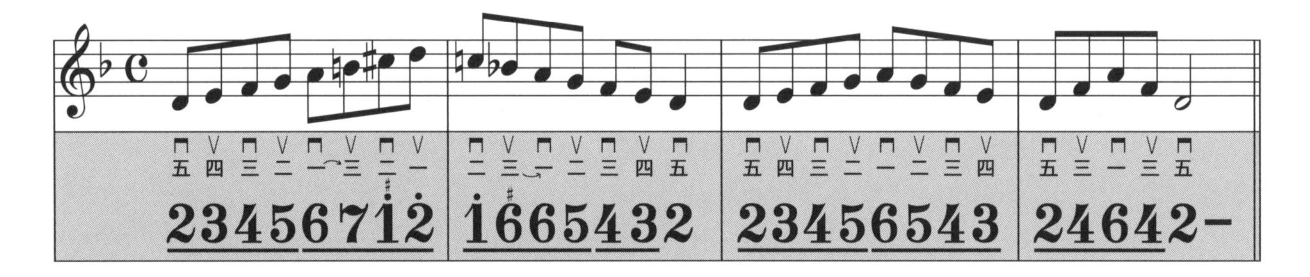

⑤-a ホ短調（Eマイナー）：和声的短音階

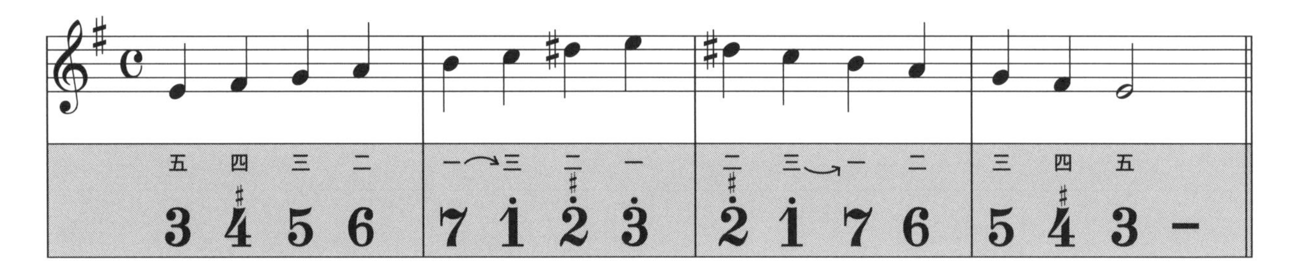

⑤-b ホ短調（Eマイナー）：旋律的短音階

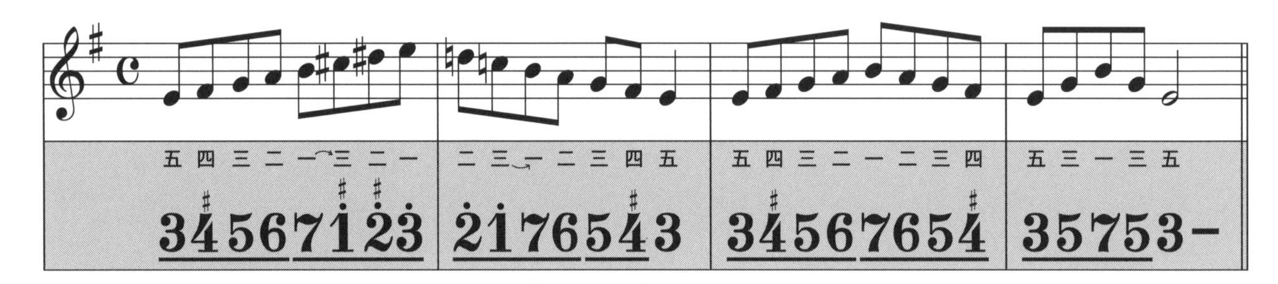

⑥ヘ長調（Fメジャー）

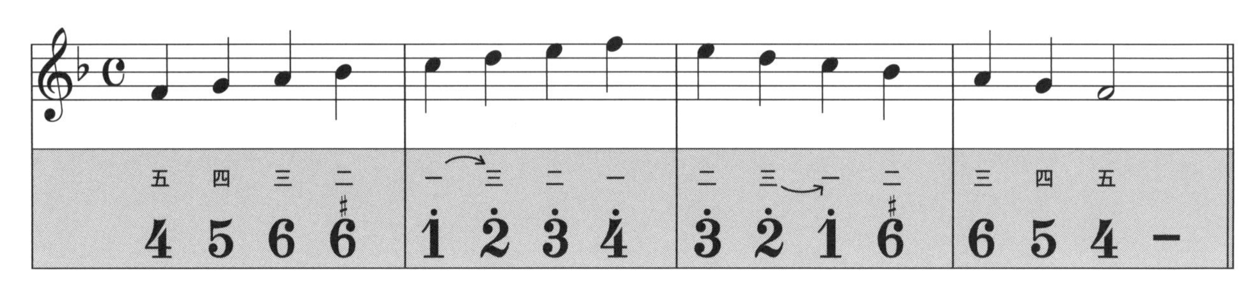

まとめ

応用編

記号	名称	説明
⊓ ／ ↑	向こう弾き（基本弾き）	第4弦〜1弦へ向かって、同時に外側へ弾きます。
V ／ ↓	手前弾き（返し弾き）	向こう弾きの反対で、第1弦〜4弦へ向かって、同時に手前へ弾きます。
○5 ／ (開)5	「ソ」の開放弦	「開」の字で表すこともあり、キーを押さえずに弾くの音を開放弦といいます。指使いは数字の上に 5 と表記します。
5 G	全弦弾き	楽曲によって数字譜の音符の下に「G」や「D」や「C」などと表記し、第6弦(又は5弦)から第1弦までを一気に弾きます。
5 5 5 5 | 5 4 3 − |		同じ音を連続して弾く時は、左手の指はキーを押さえたまま、右手のみピックで弾きます。
5 4 5 | 5 4 5 |	タイ	同じ高さの音を結ぶ弧線。2つ目の音は弾かず、2つの音を足した長さ分を延ばします。
tr 5 − − − | 5 − − 0 |	トレモロ	向こう弾きから弾き始めて、手前弾きと交互に連続して速く弾く奏法です。
▽0	消音記号	休符「0」の上に▽がある場合は、右手の中指、または薬指で4本の弦を押さえ、音を止めます。
5 − − 0	一本返し（間の返し）	第1弦をピックで手前にすくい弾きします。 ∀∀ =♫のリズムで一本返しをします。 ∀ = ♩のリズムで一本返しをします。
5 5 6	アルペジオ	第4弦〜1弦に向けて、弦を1本ずつ波を打つように弾きます。
5 6 7	指越え	上行するフレーズで、人差し指（二）・中指（三）などで、親指（一）をまたぎ越して、親指より高い音を弾きます。本書では⌒→と表記します。
6 5 4	指くぐり	下降するフレーズで、人差し指(二)・中指(三)などの下へ、親指(一)をくぐらせて、低い音を弾きます。本書では、‿→と表記します。
四(一) 5 5 5 −	指替え（指乗せ替え）	音が切れないよう、なめらかに演奏するための運指法です。キーを押さえたまま、押さえている指を替えて次の音へ進みます。
3 1 1 1	スラー弾き（余韻弾き）	複数の音をなめらかにつなげて弾く奏法です。始めの音を弾いたら、右手のピックは弾き直さず、左手のキーのみ次の音を押さえます。
♭ ♯	調号、臨時記号	1. 五線譜表記の曲の始めに使われる ♯・♭→「調号」 曲の途中、音符に付けた ♯・♭→「臨時記号」と名前が変わります。 2. 数字譜表記の曲には臨時記号として使い、♭ 記号は使用せず、♯ 音に読み替えて弾きます。 例：「5（ソ）」の ♭＝「4（ファ）」の ♯＝ ♯4

楽譜のルール

・リピート

この記号が付いている間をくり返す（戻る部分が書いてない場合は曲の始め戻る）。

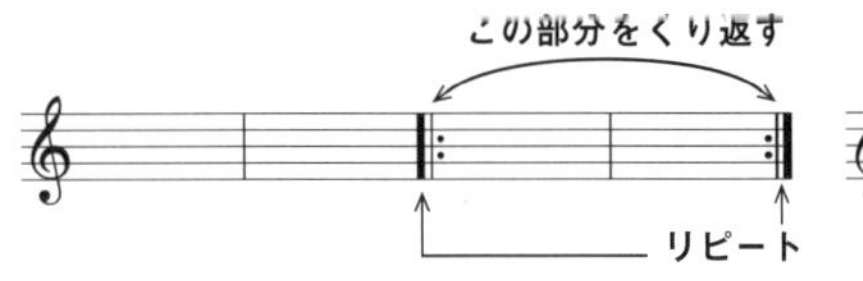

・カッコ

くり返したあとは 1. と書かれている部分を飛ばして 2. のカッコに入る。

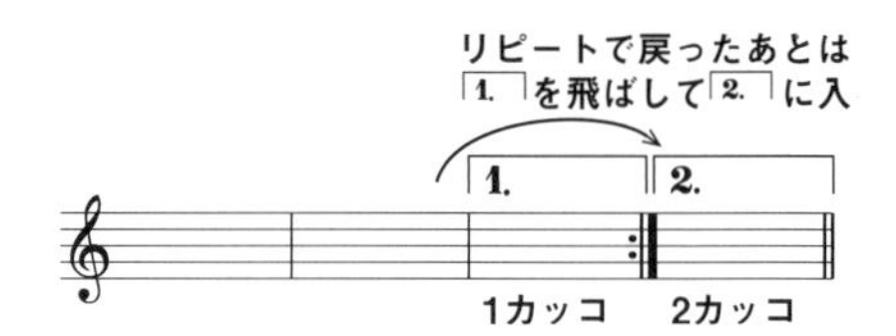

・ダカーポ

この記号のところから曲の始めに戻る。

・ダル・セーニョ

この記号のところから曲の途中に戻る。

・フィーネ

戻った後、この記号が付けられていたらそこで終わる。

・コーダ

くり返したり曲の始めに戻ったり、または曲の途中に戻ったとき、このマーク（to ⊕）が付けられていたら、そこから、マーク（⊕ Coda）の付けられたところにとんで終わる。

・速度記号

楽曲の速さを表す、音楽用語（楽語）です。楽曲の冒頭に表記します。

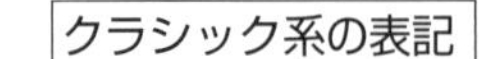

クラシック系の表記

Lento	（レント）
Largo	（ラールゴ）
Adagio	（アダージョ）
Andante	（アンダンテ）
Andantino	（アンダンティーノ）
Moderato	（モデラート）
Allegretto	（アッレグレット）
Allegro	（アッレグロ）
Vivo	（ヴィーヴォ）
Vivace	（ヴィヴァーチェ）
Presto	（プレスト）

ポップス系の表記

Very Slow Tempo	（ヴェリー・スロー・テンポ）
Slow Tempo	（スロー・テンポ）
Slowly	（スローリー）
Moderately Slow	（モデラトリー・スロー）
Moderately	（モデラトリー）
Medium Tempo	（ミディアム・テンポ）
Lively	（ライヴリー）
Brightly	（ブライトリー）
Medium Fast Tempo	（ミディアム・ファスト・テンポ）
Fast Tempo	（ファスト・テンポ）
Very Fast Tempo	（ヴェリー・ファスト・テンポ）

・強弱記号

楽曲の速さを表す、音楽用語（楽語）です。楽曲の冒頭に表記します。

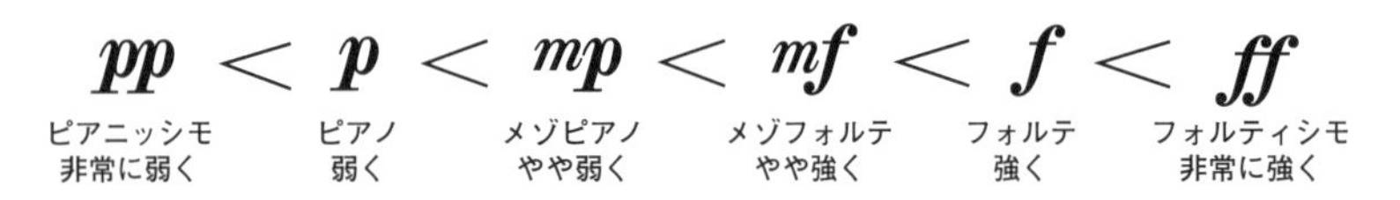

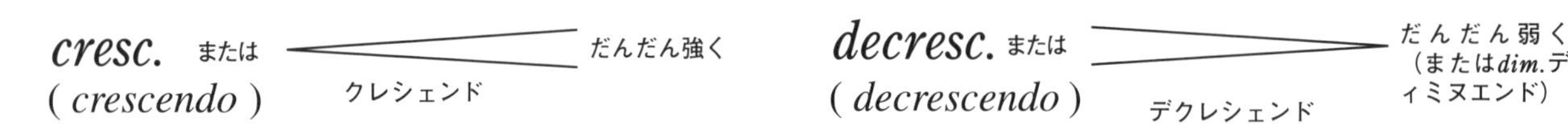

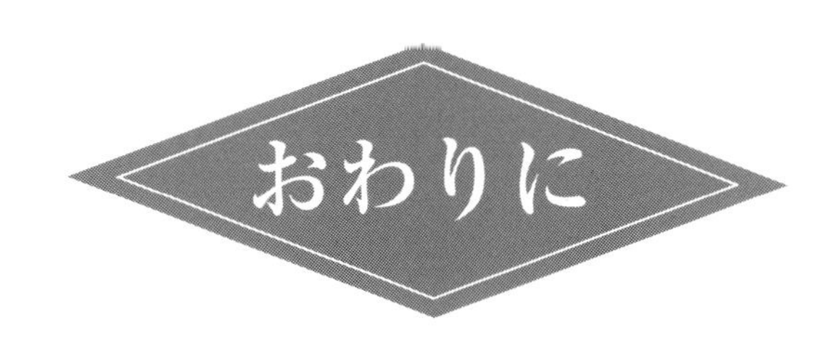

おわりに

いかがでしたか？大正琴の奏法の「キソ」をご紹介しましたが、弾けるようになりましたか？

大正琴は**ソロ弾き**はもちろん、人と人とをつなぐ**合奏**も楽しめる素晴らしい楽器です。「私は下手だから…」などと隠らず、楽器を持って、ぜひ街の講習会やレッスンに出かけてみてください。仲間との出会いはもちろんのこと、「弾きたい！」「楽しい！」この心が一番、貴方を上達させてくれるはずです。

そして、大正琴の愛好者は今や数百万人ともいわれています。各流派とも歴史があり、大正琴の普及・発展・進歩のために多大な功績を残し、今もなお歩み続けています。

そこで本書は、さらに多くの方々にこの楽器を知って頂きたく、「流派」という枠を越えて、一般的な大正琴の入門書として発刊致しました。大正琴の数字譜・記号・記譜方法なども、未来へ向けて「**進化・発展・統一**」がされていくことを願っています。

泉田由美子

■ 著者プロフィール

泉田 由美子（いずみだ ゆみこ）

東京都、新宿区生まれ。武蔵野音楽大学卒業。

現在、東京都文京区にて、「ぱぴよんの会～生涯学習～音楽教室」主宰。“楽譜通りに演奏するだけに終わらず、もっと幅広い音楽教育を！”をモットーに楽しい音楽教育を展開中。

0 歳～ 90 歳代の方々を対象に、リトミック・ピアノ・合唱・声楽・大正琴・鍵盤ハーモニカ・音楽療育などの指導 / 指揮 / 演奏を『生涯学習』として行う。一方で、ボランティア活動の演奏も積極的に行っている。

また、大正琴フェスティバル「名流祭」(東京新聞社主催) には「ヴィオリラ・サウンド・オーケストラ」のメンバーとして、20 数年間の連続出演を果たしている。

2009 年 1 月、オーストリア：ウイーン「コンチェルト・ハウス」にて「日本の夕べ」に出演。
2011 年 7 月、中国：「上海万博」イベントにて「上海東方 TV 局」の公開収録番組に出演。
2012 年 10 月、米国：ニューヨーク「カーネギー・ホール」にて「日米親善演奏会」に出演。
2013 年 9 月、栃木県日光市：「日光東照宮」にて「奉納演奏会」に出演。
2015 年 2 月、米国：ハワイ「ハワイシアター」にて「日米親善演奏会」に出演。
新しい魅力の楽器「ヴィオリラ大正琴」の合奏は、客席からの熱烈なスタンディング・オベーションを受けた。
また、以下のような活動も行っている。

2014 年 1 月＆ 2016 年 6 月　区民の為の「文京アカデミア講座」知りたい！楽譜の読み方入門開講①②
2020 年 3 月～　オンラインレッスン開始
2020 年 10 月　全国生涯学習音楽指導員協議会主催：国際音楽の日 Forum にて「リモート合奏」に大正琴 (ヴィオリラ) 担当で出演。
2021 年 7 ～ 8 月『Facebook Live と Zoom Cloud Meetings』による「大正琴＆ヴィオリラ入門講座開講」
2021 年 9 月～ 2023 年 9 月まで、Zoom にて『♫全国の音楽教室指導者用～ピアノ指導＆発表会に活かせる～大正琴指導者育成会【音の泉】』を連続開講中。また、YouTube にも限定配信中。

【講師歴（略歴）】

モンテッソーリ…………世田谷 子供の家／音楽講師
学校法人三浦学園………日本音楽高等学校 音楽科音楽コース／講師
学校法人三浦学園………日本音楽学校 中学校音楽教諭、幼稚園教諭、保育士・各養成科／講師
学校法人尚美学園………専門学校 東京ミュージック＆メディアアーツ尚美／講師
財団法人日本学芸協会…保育講座／講師　… 他、多数歴任。

【出版楽譜　楽曲アレンジ集】

●ミュージックランド社・刊

・歌って弾ける
いちばん さいしょの ポピュラー曲集 1 ～ 2
こどものアニメ・ソング ベストコレクション
こどもの童謡・わらべうた
いちばん さいしょの えいごの うた (CD 付)

・いちばんさいしょのクリスマス曲集 1 ～ 3

・大人のための泉田由美子ピアノ曲集
なつかしい歌謡曲 / 昭和の流行歌
日本のうた / こころのうた
魅惑のシャンソン・カンツォーネ・タンゴ集
思い出の童謡・唱歌・わらべうた　… 他、雑誌掲載など多数あり。

●自由現代社・刊
今すぐ弾けるやさしい大正琴入門&同改訂版
五線とドレミでわかりやすい　やさしい大正琴講座
他、音楽月刊雑誌、掲載記事など多数あり。

【所属】

PTNA（社）全日本ピアノ指導者協会 ……　指導者会員
PSTA 指導者 …………………………………　認定会員
PEN ピアノ指導者全国会員組織 ……………　指導者会員
（財）ヤマハ音楽振興会 ………………………　大正琴 / ヴィオリラ (Violyre)/ エレクトーン；指導者認定
（株）鈴木楽器製作所 …………………………　鍵盤ハーモニカ指導者認定 NO.0251
全日本リトミック音楽教育研究会……………　指導者認定
(公・財) 東京ミュージック・ボランティア協会…　指導者認定
(公・財) 音楽文化創造 ………………………　生涯学習音楽指導員；認定
METT 混声合唱団 ……………………………　団員 / 指揮者
文京区地域活動研究団体…………………………「多謝会」会員

〈 泉田由美子 オフィシャルサイト 〉
http://www2.ttcn.ne.jp/~papillon/
https://papiyon-music-1.jimdosite.com/

五線とドレミでわかりやすい！ **やさしい大正琴講座** ―――― 定価 (本体 1900 円＋税)

編著者――――泉田由美子（いずみだゆみこ）
編集者――――大塚信行
表紙デザイン――オングラフィクス
発行日――――2023 年 9 月 30 日
編集人――――真崎利夫
発行人――――竹村欣治
発売元――――株式会社自由現代社
〒 171-0033　東京都豊島区高田 3-10-10-5F
TEL03-5291-6221/FAX03-5291-2886
振替口座 00110-5-45925

ホームページ――http://www.j-gendai.co.jp

ISBN978-4-7982-2631-6